Le tennis
c'est pour tout le monde

Le tennis
c'est pour tout le monde

par Dick Gould
traduit de l'américain par
Mireille Landry

éditions l'étincelle

BIBLIOTHÈQUE UQAR BIBLIOTHÈQUE ÉLAGUÉ RIMOUSKI

Typographie: Louise Cardinal
Mise en page: Ginette Loranger
Illustration de la couverture: Pierre Chartrand

Diffusion:

Québec: Messageries Prologue Inc.
         1651, rue St-Denis
         Montréal.
         Tél.: (514) 849-8129

France: Montparnasse-Édition
         1 Quai Conti
         Paris 75006.
         Tél.: 033.40.96

Suisse: Forma-Cédilivres
         C.P. 4
         Le Mont-sur-Lausanne.

Dépôt légal, 1er trimestre 1977, Bibliothèque Nationale du Québec.

ISBN: 0-88515-071-6   1 2 3 4 5 77 78 80

Éditions l'Étincelle, 1651 rue Saint-Denis, Montréal, Québec H2X 3K4

Pour recevoir notre catalogue sans engagement de votre part,
il suffit de nous envoyer une carte avec votre nom et adresse.

PRÉFACE

Découvrez le tennis! C'est le sport le plus universellement pratiqué et, partout dans le monde, ses règles sont les mêmes; il est accessible à tous, exige peu de temps, se joue à l'intérieur ou à l'extérieur, et demande un équipement relativement peu coûteux.

Il peut ne nécessiter que des efforts modérés ou se révéler le sport le plus exigeant qui soit. Voilà la qualité première du tennis qui constitue un moyen fort agréable et stimulant de se garder en forme.

Avec les périodes accrues de loisirs, des familles entières peuvent songer à s'adonner au tennis. Le nombre des courts privés et publics dans les clubs, écoles et villes, augmente d'une manière stupéfiante. Le tennis est devenu plus populaire que jamais, surtout à cause de cette nouvelle accessibilité.

Si vous voulez jouer au tennis, soyez déterminé à apprendre à jouer correctement et à utiliser au maximum vos aptitudes. Cependant, souvenez-vous qu'il n'y a pas de raccourci menant à la maîtrise du tennis. L'apprentissage sera ennuyeux et décourageant. La nature complexe du jeu et l'adresse laborieuse qu'il nécessite justifient les nombreuses années d'effort vigoureux et soutenu qu'il en coûte pour devenir un bon joueur de tennis.

Vous ne serez jamais satisfait de votre réussite, si habile que vous deveniez. Mais si vous avez la ténacité de continuer, vous aurez un jour l'avantage de maîtriser une activité extrêmement profitable et distrayante. Puisse ce livre vous guider dans cette voie.

LES COUPS: ARMES DU TENNIS
PRINCIPES GÉNÉRAUX DE FRAPPE

Avant d'entreprendre une discussion détaillée des coups au tennis, il est important que vous compreniez quelques principes généraux dont dépend considérablement la réussite des coups exécutés.

Concentration

Le premier principe essentiel à l'apprentissage du tennis est la concentration. Commencez à maîtriser ce principe en ne pensant qu'au tennis depuis le moment où vous pénétrez sur le court jusqu'à ce que vous en partiez. Au jeu, exercez-vous à la concentration en regardant la balle. Les deux tiers des points perdus au tennis le sont à cause d'une observation défaillante de la balle. Essayez de surveiller la balle de si près que vous en distinguiez l'étiquette.

Exercice

Posez une balle de tennis sur le plancher et observez-la pendant 30 secondes. Ne pensez qu'à la balle et ne laissez rien vous distraire. Au fur et à mesure que vous progressez, ajoutez des bruits extérieurs (radio, télévision, etc.).

Simplicité

Le coup au tennis est un mouvement doux et continu qui communique à la tête de la raquette un élan progressif. Cet élan atteint le sommet de son intensité au moment de l'impact où toute la puissance emmagasinée est lâchée sur la balle.

Limitez le nombre des variables

Plus vous faites de choses, plus vous risquez de mal faire l'une d'entre elles. Évitez les mouvements superflus ou exagérés. Mettez en pratique le principe de géométrie selon lequel la distance la plus courte entre deux points est la ligne droite.

Ayez du naturel dans les mouvements de base

Si simplifié que soit un mouvement, il peut ne pas vous venir naturellement aux premiers essais. Cependant, la répétition vous familiarisera davantage avec le mouvement et vous le rendra de plus en plus facile à exécuter. Le geste deviendra finalement une habitude, de telle sorte qu'aucun effort concient ne sera nécessaire pour l'accomplir. Au bord du découragement, faites l'analogie avec les premiers pas d'un bébé. Très maladroit au début, il perd fréquemment courage. Enfin pourtant, l'exécution de cette besogne d'abord si compliquée devient une seconde nature.

Équilibre

Tenez-vous droit à partir de la taille de façon à finir vos coups librement, et surtout pour leur donner de la puissance. Détendez-vous et fléchissez légèrement les genoux. Vous serez ainsi prêt pour les nombreux coups bas qui exigent une flexion considérable des genoux.

Puissance

Dans la plupart des sports, la puissance s'obtient en transférant le poids dans la direction où vous voulez envoyer la balle. Pensez au lanceur de baseball ou au joueur au bâton mettant le pied sur le but. Au tennis, vous devriez lorsque c'est possible vous déplacer dans la ligne de frappe, juste avant de projeter la raquette vers l'avant. Le pied se déplaçant vers l'avant reçoit tout le poids et est posé complètement sur le sol. Le talon du pied arrière est soulevé et ne porte presque pas de poids. La face de tamis qui frappe la balle est amenée dans la ligne de frappe (où vous voulez envoyer la balle). Toute votre force est alors relâchée dans une trajectoire qui tient compte de la hauteur souhaitée par rapport au filet.

Contrôle

Le contrôle est la capacité de régulariser la vitesse et la direction de la balle. En tant que débutant, votre but primordial est la régularité et il serait bon que vous mettiez l'accent sur la douceur de vos coups. Ceci vous permettra de «sentir» la balle sur la raquette et de la «guider» dans la direction souhaitée.

Cela permettra aussi à la gravité d'exercer une influence plus grande sur la trajectoire de la balle. Vous aurez avantage à considérer la personne avec qui vous jouez comme un partenaire et non comme un adversaire.

Lorsque vous serez plus confiant dans l'exécution de vos coups, vous voudrez donner plus de vitesse à vos balles afin de pousser l'adversaire à faire des erreurs. À ce stade, la gravité a proportionnellement moins d'effet sur la trajectoire de la balle. Cependant, fiez-vous moins à la gravité et plus, en revanche, à la rotation de la balle, pour produire des coups contrôlés quoique puissants.

Si vous êtes parvenu à faire ou à «lancer» une courbe avec une balle de tennis, vous connaissez bien l'effet de la rotation sur le vol de la balle. Le type de rotation souhaité (balle coupée vers l'intérieur (sidespin), balle coupée (underspin), ou balle brossée (topspin)) détermine la façon de frapper la balle. La rotation de base est le topspin au cours duquel la balle tourne du dessus vers le dessous, ce qui fait qu'elle dessine une courbe en descendant sur le court. Notre première leçon portera donc sur le drive brossé (ou topspin drive).

LES COUPS DE BASE DU DÉBUTANT

Il nous faut maintenant appliquer les mots d'ordre de concentration, simplicité, équilibre, puissance et contrôle des coups, à des mouvements spécifiques. Commençons en divisant le swing en quatre parties fondamentales, chacune possédant ses propres subdivisions:

Position d'attente

> Position du corps
> Prise de coup droit
> Prise de revers

Elan arrière

> Pivot de coup droit
> Pivot de revers
> Raquette
> Déplacement vers la balle

Elan avant

> Position de frappe
> Transfert du poids et équilibre
> Point d'impact
> Follow-through

Retour (à la position d'attente)

En vous exerçant aux coups de base, mettez en pratique les principes généraux de frappe que vous venez d'apprendre. Les quatre parties fondamentales ci-dessus servent d'étapes de vérification du mouvement d'ensemble. Si ces points de vérification deviennent tous corrects, chaque mouvement consécutif du swing sera bien en place. Souvenez-vous que même s'il est question d'étapes distinctes, le swing doit être un mouvement doux et continu.

Les principes des drives de coup droit et de revers sont à peu près identiques, sauf en ce qui concerne la prise. C'est pourquoi la discussion de ces coups de base fera l'objet d'une présentation simultanée des deux coups fondamentaux: le droit et le revers. Notez que les directives des coups sont destinées aux joueurs droitiers; les gauchers devront donc inverser les explications.

Position d'attente
Position du corps: Placez-vous à moins d'un mètre derrière le centre de la ligne de fond, faisant face à la direction où la balle sera frappée et prêt à vous déplacer rapidement dans n'importe quelle direction. Écartez les pieds de la largeur de vos épaules à peu près. Votre poids est distribué également sur vos pieds à plat, et vos genoux sont légèrement fléchis.

Position du corps

Fautes courantes

1- Les genoux sont trop raides ou trop fléchis.

2- Le torse est penché de façon excessive à la taille.

Prise de coup droit Votre main gauche soutient légèrement la gorge de la raquette de façon à ce que le tamis soit à la verticale. La raquette est à la hauteur de la

Prise de coup droit

taille, parallèle au sol et pointée en direction du filet. Votre main droite tient le manche comme en «serrant la main» (la paume n'est dirigée ni vers le haut ni vers le bas). Le «V» formé à la jonction du pouce et de l'index est bien d'aplomb sur le dessus du manche. Le pouce entoure complètement le manche; les doigts sont légèrement écartés.

Prise de revers Depuis la position de coup droit décrite ci-dessus, la main gauche tourne la raquette de façon à la diriger vers le poteau gauche du filet. Au même moment, la main droite fait un quart de tour de façon à ce que la paume de la main gagne tout à fait le dessus du manche. La dernière jointure de l'index s'agrippe fermement au côté du manche. Le pouce soutient davantage la prise en se trouvant posé en diagonale le long de l'arrière du manche. Les doigts sont légèrement écartés.

Prise de revers

Prise de revers

Fautes courantes

1- *La position du «V» (coup droit) ou celle de la dernière jointure de l'index (revers) sont défectueuses.*
2- *La prise est de type «marteau» — les doigts sont trop rapprochés.*
3- *La prise est trop molle.*
4- *La prise de revers n'est pas assez différente de celle de coup droit.*

Élan arrière

L'élan arrière (backswing) est la partie du swing au cours de laquelle la raquette passe de la position d'attente à la position de frappe. Le backswing est facilité par un

Mouvement de pied du pivot

Pivot de coup droit

Pivot de revers

Balle se dirigeant tout droit vers le joueur

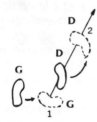

Coup droit

Revers

mouvement de pivot qui porte le côté du corps vers le filet. Cette rotation permet de se diriger vers la balle dans une position facilitant le transfert du poids au moment de la frappe.

Pivot de coup droit Le pied droit se pose dans la direction de destination de la balle tandis que les épaules font une rotation vers l'avant dans le cas d'une balle courte, parallèlement à la ligne de fond pour la plupart des balles, et vers l'arrière seulement dans le cas d'une balle très longue.

Pivot de revers La manière de faire est inversée; le pied gauche se pose le premier dans la direction que la balle doit prendre, ce qui tourne votre côté droit vers le filet et transfère votre poids sur le pied gauche. La rotation est plus large en revers, ce qui fait que vous guettez la balle presque au-dessus de l'épaule tournée vers l'avant.

Fautes courantes

1- *Le premier pas est fait en direction opposée à la balle.*
2- *La rotation du corps n'est pas complète ou se fait trop tard.*

La raquette La raquette est portée en arrière au moment précis de la rotation. Efforcez-vous d'avoir terminé le backswing au moment où la balle atteint votre côté du filet, ou au plus tard avant qu'elle ne rebondisse. Le backswing n'a pas besoin de s'effectuer à la hâte s'il est commencé assez tôt.

Beaucoup de joueurs et particulièrement les débutants trouvent plus facile de por-

ter la raquette directement vers l'arrière. De cette façon, il n'y a pas de mouvements inutiles puisque la raquette se déplace en droite ligne. Gardez le tamis perpendiculaire au sol et à hauteur de taille en portant d'abord en arrière le tête de la raquette. Au coup droit, le coude se tient à l'aise proche du corps, et demeure légèrement plié au moment où le bras suit la raquette directement vers l'arrière pour se mettre en position de frappe. En revers, le changement de la prise fait que la tête de la raquette est placée de façon à guider le bras vers l'arrière. La main gauche sert à conduire la tête de la raquette vers l'arrière, en position de frappe. Le bras qui frappe est tendu, mais sans excès.

Backswing circulaire

Fautes courantes

1- *Le backswing est entrepris trop tard. (Le joueur court avant de commencer son backswing.)*
2- *Le poignet tire la raquette vers l'arrière.*
3- *Le coude s'écarte trop du corps, empêchant le tamis de se placer à la verticale et provoquant des mouvements de poignet inutiles.*
4- *Le backswing est trop haut (mouvement inutilement ample).*
5- *En revers, la main gauche se détache trop tôt de la raquette.*
6- *Le bras est trop tendu au coup droit, ou trop fléchi au revers.*

La plupart des joueurs accomplis pratiquent le backswing circulaire qui est destiné à donner au swing plus de continuité et de rythme. La tête de la raquette est encore la première à gagner l'arrière, suivie du poignet et du bras. Elle s'élève à la hauteur des yeux; il y a flexion au coude (et non au poignet), et le corps pivote de côté. En revers, la main gauche aide au mouvement. Près de la fin du backswing, la tête de la raquette commence à s'abaisser tandis que le bras se tend légèrement au coude (et non en cassant le poignet), pour gagner la position de frappe.

L'arc du swing rappelle le coutour d'un gros oeuf; la raquette décrit simplement la ligne du dessus.

Déplacement vers la balle Au cours du backswing en ligne droite, la raquette devrait gagner l'arrière tout à fait, pendant que vous faites le premier pas du pivot. Au backswing circulaire, le backswing devrait se faire pendant que vous courez vers la balle. Il faudrait vous trouver au bon point de frappe assez tôt pour arrêter et vous préparer à frapper, votre poids se trouvant sur le pied arrière.

Élan avant

Position de frappe Vous avez maintenant terminé le backswing et vous vous êtes déplacé jusqu'à l'endroit où vous escomptez frapper la balle — la plupart du temps au sommet de son rebond, et idéalement à hauteur de taille. Le côté de votre corps fait face au filet et votre poids repose sur le pied arrière, ou se trouve tout juste en cours de passage sur le pied avant.

La raquette est à présent pointée vers l'arrière du court, le tamis toujours à la verticale, tel qu'il sera au moment de l'impact. Au coup droit, le bras est fléchi naturellement. Au revers, le bras est tendu sans excès, la main gauche balançant la

Position de frappe

Position de frappe - balle à hauteur d'épaule

Position de frappe - balle basse

gorge de la raquette. Une légère pression du pouce gauche aide à garder la tête de la raquette basse.

Aux drives de coup droit et de revers, la tête de la raquette doit, en position de frappe, se trouver légèrement en dessous du point d'impact prévu. (Dans le cas d'une balle à hauteur de taille, la raquette sera parallèle au sol, légèrement en dessous de la hauteur de la taille. Pour une balle à hauteur d'épaule, la tête de la raquette se trouvera à peu près à la hauteur de l'épaule. Si la balle se présente à hauteur de genou, la tête de la raquette sera sous les genoux.) Si vous devez vous pencher pour frapper une balle basse, abaissez l'épaule opposée au filet. Ceci abaissera la tête de la raquette sans que vous ne cassiez le poignet. Penchez le haut du corps le moins possible depuis la taille, et évitez de vous accroupir en faisant reposer le poids sur les deux pieds à la fois.

Fautes courantes

1- La tête de la raquette ne se trouve pas assez loin sous la balle au début de l'élan avant.

2- Le tamis se rabat sur la balle, ou est trop «ouvert», le côté qui frappe se trouvant dirigé vers lehaut.

Vous pouvez déterminer la position exacte de frappe en tirant le prolongement de la ligne imaginaire qui joint (1), le point où vous souhaitez renvoyer la balle par rapport au haut du filet, à (2), le point prévu de contact avec la balle. Le prolongement de ce trait, le point (3), est la position de frappe de la tête de la raquette. La plupart des

Drive d'attaque

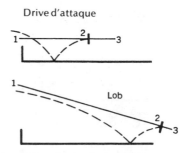

Drive brossé

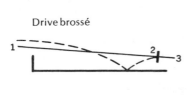

balles frappées aux abords de la ligne de fond sont des drives brossés qui passent bien au-dessus du filet. Cependant, si vous avez affaire à un lob haut et long, vous devrez sans doute vous placer tout au fond du court. Pour frapper un retour long (ou pour dépasser un adversaire qui s'est avancé au filet), il faudra envoyer la balle plus haut que vous ne l'auriez fait pour un drive normal. La tête de la raquette part beaucoup plus en dessous de la balle à la fin du backswing (position de frappe) et le tamis est «ouvert» de façon à rester perpendiculaire à la ligne de frappe.

Si la balle atterrit près du filet, pressez-vous de l'atteindre au sommet du rebond (drive d'attaque), pour frapper à plat ou bien à travers la ligne de frappe.

Transfert du poids et équilibre Vous vous êtes déjà déplacé vers la balle lorsque vous prenez la position de frappe. Une fois arrêté, votre poids repose sur le pied arrière. Vous devez maintenant transférer le poids dans la ligne de frappe de la même façon que le frappeur met le pied sur le marbre, au baseball. Votre pied avant fait un angle de 45° avec la ligne de fond (est donc pointé vers le poteau du filet), au moment où votre poids passe sur le pied avant. Le changement de poids marque le

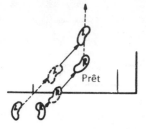

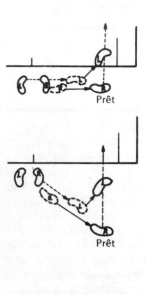

début de l'élan avant, et les deux mouvements participent à l'exécution d'un coup précis et puissant.

En avançant, il y a flexion légère du genou avant dans le but d'absorber le poids. Cette flexion est plus accentuée lorsque la balle est basse, plus légère dans le cas d'une balle haute. Quel que soit le cas, le genou avant n'est jamais raide, et le corps est droit à partir de la taille. Le pied avant est à plat sur le sol; le talon du pied arrière est soulevé, mais les orteils restent collés au court.

Point d'impact Tandis que le poids passe sur le pied avant, la raquette commence à se déplacer directement vers l'avant, depuis la position de frappe jusqu'au point d'impact. Le point d'impact se situe au-delà du pied avant. (On frappe la balle plus en avant en revers qu'en coup droit.) En règle générale, plus le joueur est adroit, plus le point d'impact est loin vers l'avant.

Point d'impact pour une balle haute

Les balles à hauteur de taille sont les plus faciles à frapper. Si la balle tombe plus bas que la taille, fléchissez les genoux de façon à abaisser la zone de frappe. Lorsque la balle est forte et passe bien au-dessus du filet, apprenez à prévoir que son rebond sera haut, et à reculer assez loin derrière la

Point d'impact pour une balle à hauteur de taille

Point d'impact pour une balle basse

ligne de fond pour lui permettre de s'abaisser à hauteur de taille. (Un joueur plus expérimenté saisira la balle au cours de sa remontée, plutôt que de reculer.)

Fautes courantes

1- *Le joueur frappe la balle trop tard (la balle s'approche trop du corps), habituellement à cause d'un backswing tardif.*

2- *Le poignet plie au moment de l'impact.*

3- *En revers, il y a flexion du coude (la raquette est du même coup entraînée vers la balle).*

4- *Le bras est trop rigide au coup droit.*

Au moment de l'impact, il est essentiel de tenir la raquette fermement en position, de façon à ne pas laisser sa tête s'abaisser. Au coup droit, le poignet est légèrement incliné vers l'arrière au moment de l'impact afin de garder la raquette parallèle au filet et d'aider à diriger la balle en ligne droite, plutôt que carrément du côté gauche. Plus la balle est loin vers l'avant au moment de l'impact, plus le poignet doit être incliné en arrière.

Follow-through Le follow-through ou accompagnement est la partie la plus importante du coup entier. C'est aussi la plus facile à apprendre puisque la raquette s'arrête complètement à la fin du swing, ce qui vous permet d'analyser votre position et de vérifier la justesse des points de repaire.

En débutant, efforcez-vous de «tenir» le follow-through ou de faire une pause après chaque essai. Si vous remarquez que votre follow-through est défectueux, corrigez-le aussitôt. Prenez l'habitude de frapper correctement. Tracez une ligne imaginaire du point d'impact à la destination de la balle. Le tamis prolonge le mouvement aussi loin et haut que possible jusqu'à ce que, graduellement, il s'arrête tout à fait. Dans le follow-through, la raquette s'élève pour qu'un bon topspin soit donné à vos drives.

Conseils

Renvoyez les balles doucement. Elles prendront plus de temps à atteindre l'autre côté du filet et à vous revenir. Cela vous permettra de vérifier et de corriger équilibre et position de raquette, à la fin de chaque coup. En débutant, tenez votre position finale (et au besoin corrigez-la) jusqu'à ce que la balle rebondisse de l'autre côté du filet.

Développer aisance, perception et douceur de vos mouvements en prolongeant aussi loin que possible le swing lui-même. Obligez-vous à garder la raquette en mouvement après l'impact, puis à arrêter lentement sa course.

La position des pieds ne change pas durant l'élan avant. Le genou avant reste fléchi à la fin du follow-through, et le poids repose sur le pied avant.

Coup droit de base

Attention, ne soyez pas timide; faites pour chaque coup un follow-through complet. Vous en tirerez profit à la longue.

En coup droit, vérifiez votre position à la fin du follow-through: (1) vous vous tenez droit à partir de la taille, (2) le genou avant légèrement fléchi, (3) le pied avant à plat

Coup droit de base

sur le sol et (4) le talon arrière soulevé. (5) Le bras est fléchi au coude devant le menton, ce qui fait que vous guetter la destination de la balle par-dessus votre avant-bras.

(6) Le poignet se trouve au moins à la hauteur des yeux, toujours ferme, sans être rabattu ou tordu. Il s'est progressivement redressé, de sorte que la raquette et l'avant-bras sont presque en ligne. La raquette est dirigée légèrement au-dessus du haut de la clôture de l'autre côté du filet. (7) Le tamis est toujours perpendiculaire au sol.

En coup droit, imaginez que la raquette est un prolongement de votre bras. Faites comme si vous vouliez attraper la balle dans la paume de votre main et la projeter au-dessus du filet. Cela vous aidera à garder le poignet incliné légèrement vers l'arrière et à contrôler la direction de la balle. Par-dessus tout, laissez la tête de la raquette faire le travail. Le coup doit représenter un élan provenant de l'épaule, et non une poussée du corps ou un coup de poignet.

Fautes courantes

1- *La raquette ne prolonge pas son mouvement assez loin dans la ligne de frappe.*

2- *Le poignet ne reste pas tendu (il se tord ou se rabat sur la balle).*

3- *Le follow-through manque de hauteur (coude devant le menton, poignet au moins à la hauteur des yeux).*

4- *Le corps est trop rigide — il n'est pas détendu.*

   a. L'épaule gauche est penchée.

   b. Le genou avant se raidit.

   c. Le pied arrière passe en avant ou glisse en arrière à la fin.

   d. Le pied arrière reste à plat à la fin.

Coup de revers de base

En revers, après l'impact, (1) la tête de la raquette doit adopter graduellement la direction de la balle, et prolonger le mouvement haut et loin ensuite. Encore une fois, vous devez (2) vous tenir droit depuis la taille, le côté du corps tourné vers le filet de façon plus accentuée qu'au coup droit et le genou avant légèrement fléchi. (3) Le pied avant doit être à plat sur le court et (4) le talon arrière soulevé.

(5) Le poignet se trouve au moins à la hauteur des yeux, et (6) la raquette est presque à la verticale par rapport au sol au lieu d'être dirigée vers la clôture adverse, du fait que la prise est différente de celle du coup droit. Le poignet est toujours tendu, ni tordu, ni rabattu en cours de mouvement. Le tamis est toujours perpendiculaire au sol, et raquette et bras se trouvent presque en ligne. (Imaginez en jouant en revers que la raquette est le prolongement de votre bras. Faites comme si vous essayiez d'attraper la balle sur la raquette, de la soulever et de la projeter par-dessus le filet. Le swing complet provient de l'épaule.)

Fautes courantes

1.- *La tête de la raquette retombe (est braquée sur la clôture adverse plutôt que droite dans les airs) parce que:*
   a. *Le poignet ne reste pas tendu.*
   b. *Le corps est trop près de la balle.*
   c. *La flexion des genoux n'est pas suffisante dans le cas d'une balle basse.*
   d. *Le bras plie et le coude conduit le mouvement.*
2- *La raquette ne continue pas assez loin dans la ligne de frappe.*

Coup de revers de base

3- *Le follow-through ne prend pas assez de hauteur (le poignet devrait se trouver à la hauteur des yeux, et la raquette à la verticale).*

4- *Le corps est trop rigide.*

   a. *La tête est accrochée à l'épaule qui frappe.*

   b. *La jambe avant est tendue (ce qui produit une flexion avant depuis la taille).*

   c. *Le pied arrière reste à plat sur le sol ou glisse vers l'arrière.*

Retour (à la position d'attente)

Reprenez rapidement la position d'attente de façon à être prêt pour le coup suivant. Faites un pas glissé de côté (de dégagement), comme ceux que font en défense les joueurs de basketball.

La balle courte (drive) illustrée

Coup droit

1

4

2

5

3

Revers

La balle profonde (lob) illustrée

Coup droit

Revers

Le lancer

LE SERVICE DU DÉBUTANT (PLAT)

Le service peut être une arme extrêmement importante. Il faudrait vous efforcer de rendre le vôtre puissant et sûr.

Lancer

La condition préalable à tout bon service est un bon lancer. Le bras qui lance est tendu modérément, de sorte que la main est à égalité avec l'épaule et se trouve pointée dans la direction où l'on sert, la paume tournée vers le haut. La balle est retenue entre les doigts. Le bras qui lance s'abaisse vers la cuisse gauche puis s'élève jusqu'à se dresser droit vers le ciel. Le bras qui lance fait penser à un ascenseur: il descend tout droit et remonte aussi en droite ligne.

Le lancer

Backswing, à la montée des bras.

Au début, le poids repose sur le pied arrière. Le bras qui lance devrait s'élever en ligne droite (à un angle de 90° avec la surface du court), en transmettant le poids au pied avant. Le plus tard possible au cours du mouvement, «posez» la balle dans l'air. Lancez la balle au-dessus du pied avant de sorte que si vous la laissiez tomber au sol, elle atterrirait juste devant le pied. La balle doit être lancée un peu hors d'atteinte de la raquette. Cela signifie qu'elle ne doit être «posée» qu'à 0,60 mètre à peu près, au dessus du bras tendu qui lance.

Fautes courantes

1- *La main qui lance s'abaisse trop (le long de la jambe plutôt que devant elle).*
2- *La balle est lancée trop bas.*
3- *La balle est lancée trop loin vers l'arrière (elle est probablement lancée d'un coup de poignet plutôt que «posée» dans l'air, ou bien il n'y a pas transfert du poids vers l'avant).*
4- *Le serveur se hisse sur les orteils du pied avant plutôt que de laisser le pied à plat (ce qui l'oblige à se pencher et ainsi, à troubler son équilibre).*

Élan arrière (Backswing)
Le mouvement du bras qui lance doit être coordonné au déplacement rythmique et détendu du bras qui porte la raquette et ce, au cours des élans arrière (backswing) et avant. Afin d'acquérir ce rythme et cette coordination, souvenez-vous que les deux bras s'abaissent ensemble. Lorsque la raquette atteint la hauteur des jambes, les deux bras commencent à s'élever en même

Position de frappe, bras plié et raquette tendue dans les airs.

temps. Pratiquez cette cadence en répétant: «en bas ensemble; en haut ensemble.» Le bras porteur de la raquette devrait être tout à fait délié de l'épaule de façon à ce que la raquette oscille comme le balancier d'une horloge grand-père.

Au moment où les bras s'élèvent ensemble, il y a transfert du poids vers le pied avant. Lorsque la raquette et le bras atteignent la hauteur des épaules, la paume de la main portant la raquette est tournée vers le bas, en direction du court. En atteignant la hauteur des épaules, le bras commence à fléchir de sorte qu'en position de frappe le coude reste au niveau de l'épaule, l'avant-bras et la raquette se trouvant tendus tout droit dans les airs. Il importe que votre poignet ne se torde ni ne s'incline vers l'arrière, au cours du backswing.

Élan avant

Le bras continue à plier tandis que la raquette s'abaisse derrière le dos comme pour le gratter.

Le coude se dirige maintenant vers l'avant comme lorsque vous lancez une balle. Le poignet suit le coude en avant et le bras se tend vers le haut, en direction de la balle. Ceci provoque une rotation du corps vers l'avant.

Bougez les jambes le moins possible. Laissez le pied avant à plat sur le sol, et tournez le pied arrière sur les orteils.

Point d'impact La balle doit être frappée d'un coup de poignet prononcé. Plus le point d'impact est haut, plus vous avez de chances que le service passe par-dessus le filet et soit bon. (Si la raquette avait des yeux, elle aurait un meilleur aperçu du côté opposé du court d'une position haute, que de plus bas.)

Fautes courantes

1- *Il n'y a pas de transfert du poids vers le pied avant.*
2- *Le backswing et le lancer de la balle ne sont pas coordonnés (habituellement parce que la main gauche descend trop bas à côté de la jambe).*
3- *Le backswing ne s'effectue pas en douceur et de façon détendue.*
4- *Le poignet tourne vers le bas au moment du backswing, nuisant ainsi au mouvement.*
5- *Le serveur, en lançant la balle, se hisse sur les orteils du pied gauche et perd ainsi l'équilibre.*

Follow-through Le poignet se rabat sur la balle et donne un coup en travers de la ligne de frappe. Puis la tête de la raquette retombe lentement et gagne l'autre côté du corps.

Retour (à la position d'attente)
Au début, il serait bon de laisser le pied arrière à sa place afin de vérifier le lancer et l'équilibre. Le joueur expérimenté laisse souvent son pied arrière traverser la ligne après l'impact. Cela lui permet de retrouver son équilibre, s'il s'est projeté sur sa jambe avant.

Fautes courantes

1- *Le bras qui frappe est tendu trop tôt, ce qui produit une «poussée».*

2- *La balle descend trop bas, ce qui obstrue mouvement et point d'impact.*
3- *Mauvais jeu du poignet.*
4- *Follow-through obstrué et non ample et continu.*

Indications relatives au service

Le service doit être coulant, dégagé, et continu. Amorcez-le lentement et laissez la raquette prendre son élan. Deux formules-clés — «en haut» et «en bas» — illustrent la trajectoire complète du swing:

En bas — la raquette s'abaisse de la position d'attente et se trouve dirigée vers le sol. La main qui lance s'abaisse avant de porter la balle en haut.

En haut — la tête de la raquette s'élève au-dessus de la hauteur de l'épaule. La main qui lance s'élève aussi, pour aller «poser» la balle.

En bas — le bras porteur de la raquette plie, provoquant la chute de la tête de la raquette derrière le dos, tandis que le poignet en vient presque à toucher l'épaule. Le bras lanceur s'écarte du chemin en s'abaissant en travers de la poitrine.

En haut — la tête de la raquette s'élève à la rencontre de la balle.

En bas — la tête de la raquette suit le mouvement de la balle, puis descend de l'autre côté du corps.

Pour donner un rythme à votre service, répétez les mouvements en les faisant: «en bas ensemble»; «en haut ensemble» (les deux bras); «derrière le dos» (chute de la raquette), et «frappe».

Le service «marteau» débute en position de frappe.

1

N'essayez pas de frapper la balle à moins que le lancer ne soit parfait. Si vous avez peine à contrôler la direction de votre service, imaginez que vous emprisonnez la balle dans les cordes de la raquette. Imaginez aussi que le tamis est la paume de votre main et dirigez le bout de la raquette vers la destination souhaitée de la balle.

Si vos services se logent dans le filet, c'est peut-être que vous lancez la balle trop loin vers l'avant ou que votre poignet frappe vers le bas plutôt qu'en haut. Si vos balles sont trop longues, il est possible que vous n'alliez pas chercher la balle assez haut ou que vous la lanciez trop en arrière du corps.

Le service «marteau» vous aidera peut-être, si vous avez peine à coordonner le swing entier. Supprimez le backswing et commencez à la position de frappe (le coude à hauteur d'épaule et élevé, l'avant-bras et la raquette pointés au ciel). Imaginez que la raquette est un marteau et la balle, un clou. Lancez la balle à 0,60 mètre environ au-dessus du marteau, tout en laissant la tête de la raquette s'abaisser un peu derrière le dos puis, d'un coup de poignet énergique, projetez la raquette vers l'avant et le haut à la rencontre de la balle, comme en plantant un clou. À la fin du mouvement, la tête de la raquette descend de l'autre côté du corps.

Le service «marteau» débute en position de frappe.

Le service du débutant illustré

7

8

Le service du débutant illustré

1

2

LE JEU DE FILET DU DÉBUTANT

La volée

Tenez-vous à une distance de 2 à 2,6 mètres du filet. La position d'attente est la même que pour les drives de coup droit et de revers, sauf que la tête de la raquette est à hauteur de poitrine. (La zone de frappe se trouve maintenant au niveau de la poitrine plutôt qu'au niveau de la taille.) Regardez la balle sans arrêt, la tête baissée; le volleyeur de talent se tient bas et près de la balle, presque comme s'il cherchait à l'attraper entre ses dents.

En coup droit, portez-vous directement en avant vers le balle (ne faites pas d'élan arrière à moins que la balle ne soit très haute), le poignet incliné vers l'arrière et la raquette aussi parallèle au court que possible en étant à l'aise. Avec le pied gauche, faites un pas oblique en direction de la balle, les épaules face au point d'impact. (Ne tournez pas le corps car la

Volée de coup droit

Volée de revers

Volée basse

raquette se déplacerait trop loin vers l'arrière.) Le contact se fait à plat en gardant le poignet tendu, bien en avant du corps. Employez un coup frappé sec provenant du coude, avec peu de follow-through.

En revers, changez votre prise pour celle de revers en élevant la main droite à la hauteur de la main gauche de sorte que la raquette se trouve tout à fait parallèle au court, devant votre poitrine. Faites un pas oblique en direction de la balle avec le pied droit, et dirigez les épaules vers le point d'impact prévu. (La main gauche placée sur la gorge de la raquette aide à rester face à la balle et évite tout élan arrière en vous aidant à garder la raquette devant le corps.) Ce mouvement frappé sec du coude pousse la raquette à se déplacer vers l'avant et à quitter la main gauche. La balle doit être frappée à plat.

Fautes courantes

1- Le swing est excessif.

2- L'impact a lieu trop tard (pas assez loin devant).

3- Le poignet ne reste pas raide au moment de l'impact.

4- Le joueur n'est pas assez près (et du corps, et des yeux) de la balle.

5- La balle est rabattue d'un coup de poignet, ou balancée à partir de l'épaule. (Il devrait y avoir mouvement frappé provenant du coude.)

Dans le cas de balles basses, abaissez la tête de la raquette juste au-dessous de la hauteur du poignet. Gardez le poignet tendu au moment de l'impact puis soulevez la balle doucement, et prolongez votre mouvement (plutôt que de frapper la balle brusquement).

Le smash

Si vous vous trouvez au filet et que l'on vous renvoie un lob haut, vous pourrez peut-être smasher. La meilleure façon de décrire le smash est de dire qu'il consiste en un service modifié, au mouvement abrégé, puisqu'il arrive souvent qu'on ait peu de temps pour réagir. En partant de la position d'attente au filet, tournez le côté du corps en faisant un pas vers l'arrière et allez vous placer juste en-dessous de la balle. (Si vous manquiez votre coup, la balle vous atteindrait au front.)

Élevez votre raquette jusqu'à la position de service «marteau» aussitôt que votre côté est tourné vers le filet. Conservez le coude arrière en ligne avec l'épaule, en attendant la balle. En abaissant le coude, votre swing s'allongerait inutilement et il serait difficile de mesurer exactement votre coup. Une fois prêt à frapper, transférer le poids sur le pied avant. (Il est souvent difficile de se préparer à un coup porté au-dessus de la tête, et beaucoup de joueurs expérimentés conservent leur équilibre et obtiennent une puissance accrue en faisant un bond en ciseaux au moment de frapper la balle.)

Fautes courantes

1- *Le joueur ne se place pas sous la balle (la plupart des coups manqués au-dessus de la tête le sont à cause d'un mauvais jeu de pied).*

Smash

2- *Le joueur fait un swing trop ample.*

3- Le joueur ne suit pas suffisamment la balle des yeux.

Lancez bras et raquette en avant et vers le haut en direction de la balle, et frappez-la le plus haut possible au-dessus de la tête. Surveillez la balle très très attentivement: en effectuant ce coup, certains ont tendance à baisser la tête et à cesser de regarder la balle juste avant de frapper. D'un coup net du poignet, smashez la balle de l'autre côté. Prolongez le mouvement dans la direction du coup, puis vers l'autre côté de votre corps.

COUPS INTERMÉDIAIRES ET AVANCÉS

Il n'y a pas d'étape magique au tennis où il faille commencer l'apprentissage de coups plus élaborés. Il est possible que vous soyez prêt à entreprendre les balles coupées et les services avancés de cette section plusieurs années avant que vous n'ayez maîtrisé parfaitement les drives de coup droit et de revers, le service et les volées des sections précédentes. En général, n'essayez pas d'en faire trop. Établissez des bases solides puis construisez lentement, ajoutant des pièces uniquement lorsque les précédents sont bien en place.

L'amortie

L'amortie est une balle coupée doucement qui tombe près du filet du côté adverse, et qui ne rebondit pas très haut.

Faites un backswing court et gardez le tamis ouvert et plus haut que le poignet. Il s'agit de frapper doucement vers le bas et

Amortie en coup droit

Amortie de revers

sous la balle. Au moment où la raquette arrive sous la balle, ouvrez davantage le tamis de façon à ce que la balle soit soulevée légèrement vers le haut et en avant. La raquette termine le mouvement à la hauteur des yeux, le tamis se trouvant toujours ouvert.

Plus que tout autre coup, l'amortie est un handicap plutôt qu'un atout lorsqu'elle est mal exécutée. Ce n'est habituellement pas un coup gagnant en grande compétition; c'est plus un coup tactique destiné à placer l'adversaire en position défavorable et à préparer le coup à venir. L'amortie atteint son efficacité maximale lorsqu'elle est frappée en angle très étroit ou quand elle tombe derrière l'adversaire. Employez-la pour briser le rythme de l'adversaire, seulement pour renvoyer des balles courtes et lors de points peu importants.

Volée amortie
C'est tout simplement une volée en douceur un peu coupée qui, comme l'amortie, provoque un «arrêt» de la balle après le rebond. Le tamis s'ouvre et le poignet se détend au moment de l'impact. Il n'y a presque pas de backswing ni de follow-through.

Le slice
Le slice est une balle coupée qui «flotte» au-dessus du filet, puis fait un bond court et bas.

La raquette descend vers la balle et la «tranche» en produisant un angle inférieur à 45 degrés, pour lui transmettre un underspin. La tête de la raquette doit se trouver plus haute que le poignet et le point d'impact prévu doit coïncider avec la position

Slice de revers

de frappe. Le tamis est légèrement en biseau ou ouvert, et le backswing est court. Le follow-through commence en bas à travers la ligne de frappe, et continue en montant jusqu'à hauteur d'épaule.

Le slice est efficace comme coup d'approche au filet, lorsqu'il est effectué au sommet d'un rebond à l'intérieur de la ligne de fond, pour varier la cadence lorsqu'il est frappé derrière la ligne e fond, ou comme relance pour qui se trouve proche du filet.

Le chop

Le chop est une balle coupée qui «s'asseoit» dans les airs et «s'arrête» après le rebond.

En position de frappe, la tête de la raquette se trouve beaucoup plus haute que le point d'impact, et au-dessus de la hauteur de la taille. Le tamis est presque à la verticale si l'on compare à l'ouverture du slice, et le backswing est restreint. La raquette descend vers la balle en faisant un angle légèrement supérieur à 45 degrés. Le follow-through est quasi inexistant puisque le mouvement est une descente presque directe.

Les joueurs experts tirent profit au maximum du chop en l'employant pour changer radicalement la cadence, ou comme amortie servant à attirer l'adversaire au filet. Cependant, à cause du réglage parfait qu'il nécessite, le chop devrait être l'un des derniers coups appris.

Le service brossé (topspin)

Tous les bons serveurs emploient surtout les services brossés. La rotation tend à ralentir la balle et à la faire passer plus

Chop de coup droit

Prise des services brossés

haut au-dessus du filet, même si les services brossés peuvent être frappés avec beaucoup de force.

L'un des services brossés les plus courants est le service avec topspin. Comme les autres services brossés, celui-ci exige une prise de raquette qui se rapproche de celle du revers. Pour frapper à travers l'arrière de la balle, il vous faut la lancer plus loin derrière le pied avant qu'au service plat. Si la balle tombait sur le court, elle atterrirait devant le talon du pied avant.

La position d'attente est la même que pour le service plat, mais le corps pivote plus de côté au moment du lancer. Cela permet au bras qui lance de s'élever davantage et d'être parallèle à la ligne de fond, plutôt que dirigé vers l'adversaire. De cette façon, le bras qui lance fait un mouvement en J qui permet un lancer devant l'épaule, mais au-dessus d'elle.

Les genoux sont fléchis et le poids repose sur le pied avant au moment du lancer; cependant, la jambe avant se tend au moment où le serveur s'étire pour frapper la balle. Cela pousse le pied arrière à gagner l'avant et à tomber sur le court à la fin du mouvement.

La tête de la raquette s'abaisse derrière le dos, mais plutôt que de frapper à plat vers l'avant dans la direction d'envoi de la balle, la raquette s'élève vers la balle, plus parallèlement à la ligne de fond; en d'autres mots, la raquette frappe en montant, à travers l'arrière de la balle et d'un côté à l'autre. Imaginez que vous brossez l'arrière de la balle de bas en haut, avec le rebord de la main.

Mouvement en J du service brossé (topspin)

Pour frapper vers le haut, vous devez laisser la balle s'abaisser un peu du point le plus haut du lancer. La raquette frappe la balle au cours de sa descente, puis se détend complètement vers le haut par un coup sec du poignet. Laissez le côté du corps face au filet plus longtemps pour vous aider à frapper vers le haut. Après le lancer, le bras qui lance se serre contre la poitrine pour aider à empêcher les épaules de se retourner trop vite vers l'avant. Le mouvement prend fin du côté gauche du corps.

Le service américain

C'est le service brossé avec topspin, poussé à l'extrême. Le serveur frappe la balle en montant puis projette fortement son poignet par-dessus le haut de la balle, lui imprimant une courbe prononcée qui produira un haut rebond en sens contraire du mouvement.

Ici, on lance la balle encore plus loin derrière le corps qu'au service brossé avec topspin. Cela oblige à pencher le corps beaucoup plus vers l'arrière pour atteindre la balle, mais il devient plus facile de frapper la balle vers le haut. Une forte poussée en hauteur de la jambe avant amplifie le mouvement ascendant de frappe.

Il s'agit de frapper vers le haut et l'extérieur la paroi intérieure de la balle; puis le poignet projette vigoureusement la raquette par-dessus le haut de la balle. Ce «renversement» du poignet est directement lié au rebond contraire de la balle. Le swing fait presque angle droit avec la direction du coup.

Le mouvement se termine du côté gauche du corps lorsque les épaules se retournent finalement dans le sens du coup et que la jambe arrière traverse la ligne.

Le service coupé

Le service coupé est identique au service plat si ce n'est que sa prise est plus proche de celle de revers, et que la balle doit être lancée du côté droit du corps pour que le serveur puisse aller frapper le contour extérieur de la balle.

Angle de frappe - service plat

Angle de frappe - service coupé

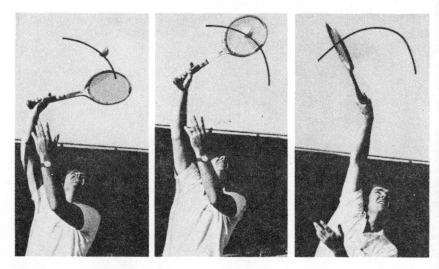

Mouvement du poignet -
service américain

1

2

3

**Services intermédiaires et
avancés illustrés.**

...Services intermédiaires et avancés

4

5

1

2

3

Services intermédiaires avancés.

4

5

1   2   3

4   5

...Services intermédiaires et avancés.

PRINCIPES DE LA STRATÉGIE EN SIMPLE

Celui qui possède des coups solides détient un net avantage au cours d'un match de tennis, mais il est essentiel de prendre conscience que les coups ne sont qu'un moyen en vue d'une fin. Les coups vous permettent de tirer profit au maximum d'une stratégie et une fois maîtrisés, vous devez vous efforcer de les utiliser aussi intelligemment et efficacement que possible.

Pour développer une stratégie gagnante en simple, vous devez acquérir la maîtrise des cinq domaines suivants:

Garder la balle en jeu
Toujours jouer long
Déplacer l'adversaire
Monter à l'attaque
Se défendre contre l'attaque

Les trois premiers touchent surtout l'application des coups de base (coup droit et revers). Le quatrième nécessite une compréhension du jeu de filet, y compris des coups d'approche, et le développement d'un service plus agressif. Une fois ces tactiques maîtrisées, vous serez parvenu au stade intermédiaire fort ou expert; vos adversaires se montreront aussi plus combatifs et vous serez prêt à entreprendre le cinquième domaine, la riposte à l'attaque.

SAVOIR GARDER LA BALLE EN JEU

Bien se placer sur le court

Vous devez savoir où attendre une balle pour pouvoir la renvoyer le mieux possible. Chaque joueur se tient à un demi-

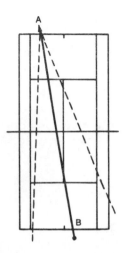

La position d'attente se trouve au centre de l'angle de retour.

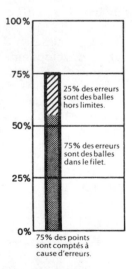

mètre derrière sa ligne de fond, à peu près au centre du court. Prenez soin de ne pas vous faire prendre dans la « zone interdite » (à mi-court), à moins que vous ne soyez volontairement en route vers le filet. À mi-court, les balles rebondiront derrière vous ou à vos pieds, et non seulement seront-elles difficiles à renvoyer, mais vous devrez habituellement les frapper tout en avançant (défensivement). Si vous devez gagner la « zone interdite » pour frapper une balle courte, revenez tout de suite derrière la ligne de fond après le coup, ou continuez à monter vers le filet. Ne restez pas dans la « zone interdite ».

Placez-vous au centre de l'angle possible de retour Revenez toujours derrière la ligne de fond, à un point qui divise en deux l'angle à l'intérieur duquel l'adversaire peut envoyer la balle. Par exemple, si l'adversaire frappe la balle au point A, votre position d'attente se trouve au point B, juste à la droite du centre.

Pratiquer le tennis pourcentage

Pousser l'adversaire à frapper la balle Voici la première et principale règle du tennis autant pour le débutant que pour le joueur avancé. Concentrez-vous sur le renvoi de la balle à l'adversaire. Ne le sortez pas d'embarras en essayant un coup inutile ou en vous faisant prendre en position défavorable. Tout ce dont vous avez besoin pour gagner le point, c'est de frapper la balle « bonne » une fois de plus que l'adversaire. Et si vous gardez la balle en jeu, vous poussez votre adversaire à « placer » une balle pour vous déjouer.

Équilibrer le nombre d'erreurs et de placements Soixante-quinze pour cent de tous les points perdus le sont à cause d'erreurs inutiles — des balles qui auraient pu être renvoyées — alors que seulement 25% des points représentent des placements — des coups si bien frappés qu'ils n'auraient pu être renvoyés. Parmi les erreurs inutiles, les trois-quarts sont des balles dans le filet et un quart seulement, des coups hors limites.

Il est inévitable que vous fassiez des erreurs! Même au tennis de compétition, il est très rare qu'il y ait une dose égale d'erreurs et de placements. Cependant, pratiquez le tennis pourcentage et diminuez le nombre des erreurs inutiles. Le gagnant est celui qui fait le moins d'erreurs — et qui en fait le moins aux moments critiques. Ne tentez pas un coup de maître si un coup ordinaire va donner le même résultat. C'est ce qui différencie, au tennis, les gens raisonnables des enfants et ce qui fait que certains compétiteurs sont meilleurs que d'autres.

Jouer point par point Se concentrer sur les points, l'un après l'autre, crée une pression énorme sur l'adversaire. Il est possible d'avoir perdu plus de points qu'on en a gagnés et d'être quand même vainqueur du set. Apprenez les points «critiques». Tous les points sont importants, mais à certains moments il est plus nécessaire encore que vous ne fassiez pas d'erreurs inutiles. Par exemple, essayez de faire le premier point et d'avoir ainsi l'avantage en partant. Les premières parties de chaque set sont importantes aussi. Ne frappez pas de coups risqués tôt dans la partie ou dans le match, particulièrement lorsque vous jouez contre plus fort que vous.

Le troisième point est décisif. Il peut vous empêcher de prendre de l'arrière catégoriquement, ou vous donner une avance substantielle.

Quand la partie atteint un moment crucial, mettez toute votre concentration sur chacune des balles frappées. Évitez les erreurs non justifiées à 40 - 30, «égalité», ou «avantage». La situation ressemble à celle du lanceur de baseball avant son lancer décisif, à 3 balles - 2 prises.

Au niveau du set, la septième partie est l'une des plus importantes. Après la sixième, le compte sera 5-1, 4-2, 3-3, 2-4, ou 1-5. Le gagnant de la septième partie gagnera probablement le set, s'il est en avance.

S'entraîner à la régularité
Si vous êtes débutant, augmentez la longueur de vos échanges et le nombre de balles consécutives frappées contre un mur ou face à un partenaire constant. Au tout début ou si vous êtes très jeune, jouez dans le court de service ce qui vous oblige à la douceur (et à développer aisance, perception et contrôle), et vous donne le temps de réfléchir à vos coups. Reculez progressivement jusqu'à l'arrière du court.

Si vous êtes un joueur plus expérimenté, tout en renvoyant la balle à l'adversaire, essayez de le déjouer au cours du réchauffement. Entraînez-vous à «jouer des points» (une suite d'échanges plutôt que d'employer le décompte officiel) et à jouer le plus possible sans erreur, contre un joueur constant et contre un joueur attaquant.

Jouez à «ne pas commettre 2 erreurs de plus que le nombre de placements.» Jouez des points et notez «moins un» pour chaque erreur et «plus un» pour chaque placement. Si vous faites deux erreurs de plus que le nombre de placements accumulés avant votre adversaire, vous perdez.

TOUJOURS JOUER LONG

En jouant et en affrontant de meilleurs joueurs, vous vous rendrez compte qu'il n'est pas suffisant de garder la balle en jeu. Maintenant, vous devez non seulement garder la balle en jeu, mais aussi toujours frapper en profondeur.

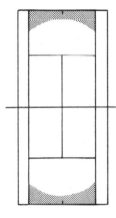

La longueur est importante

On appelle balles longues celles qui atterrissent près des limites arrière du court. Là, il est plus difficile pour l'adversaire de renvoyer agressivement la balle parce que:

a) Son angle de frappe est réduit, ce qui vous laisse moins de surface à couvrir;

b) Son coup prend plus de temps à vous revenir (puisqu'il doit faire plus de chemin), ce qui vous laisse plus de temps pour vous y préparer.

Souvenez-vous de ces deux facteurs lorsque vous êtes en difficulté et mal placé. Une balle longue et flottante vous donne le temps de vous remettre et de vous préparer au coup suivant.

Chez un débutant qui n'a pas encore appris à frapper des balles sûres et puissantes, la balle longue doit passer d'un mètre cinquante à deux mètres cinquante au-dessus du filet, si elle est frappée depuis la ligne de fond. Un débutant frappant d'une bonne distance derrière la ligne de fond devra peut-être même lober — frapper à plus de deux mètres au-dessus du filet —

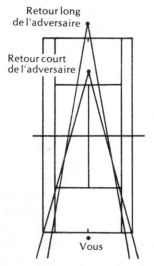

Un retour long diminue l'angle de frappe

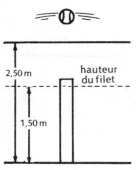

Le coup flottant d'un débutant doit passer d' 1,50 mètre à 2,50 mètres au-dessus du filet pour se rendre loin.

pour produire une balle longue. Un joueur plus avancé qui frappe avec plus de puissance doit laisser moins d'un mètre de jeu pour la plupart des coups provenant de la ligne de fond. Cependant, en jouant d'assez loin derrière la ligne de fond, il devra frapper une balle flottante plus ample.

Une balle flottante longue a un rebond haut et force un adversaire débutant ou intermédiaire à se déplacer passablement loin derrière la ligne de fond, pour renvoyer la balle. La possibilité d'un retour faible se trouve alors accrue. Dans le jeu plus avancé, ce coup peut aussi servir à changer la cadence du jeu, et ralentir un adversaire possédant une frappe forte.

S'entraîner à la longueur

Vous vous rendrez peut-être mieux compte à quelle hauteur au-dessus du filet la balle doit passer pour parcourir une grande distance en fixant un piquet à chaque poteau du filet et en les joignant par une corde, tendue à un mètre cinquante à peu près au-dessus du filet. Toutes les balles devront passer au-dessus de la corde.

Exercez-vous en «jouant des points» ou en reprenant le jeu des erreurs et des placements mais cette fois, en considérant comme manquées les balles qui tombent devant la ligne de service, ou devant une ligne fixée entre la ligne de service et la ligne de fond.

DÉPLACER L'ADVERSAIRE

Garder la balle au jeu et toujours jouer long sont des concepts essentiels et primaires, mais ils sont avant tout défensifs. Même en débutant, il vous faudrait combiner ces deux principes avec le troisième principe de stratégie en simple, plus agressif celui-là: le déplacement de l'adversaire.

À partir de la toute première présentation qui vous a été faite des coups au tennis, il a été question de l'importance du jeu de pieds, de la préparation, puis du déplacement dans la direction de frappe. Vous avez appris que ce transfert de poids aide au contrôle et à la puissance. Vous devez aussi vous être aperçu qu'il faut se déplacer beaucoup sur le court, et qu'il n'est pas toujours possible de bien placer les pieds et de renvoyer la balle avec puissance et contrôle.

Vous êtes prêt maintenant à tenter de produire la même chose chez l'adversaire — de le faire courir d'un côté à l'autre, en avant et en arrière de façon à ce qu'il crée une ouverture ou qu'il frappe un coup faible. En d'autres mots, il faut que vous l'empêchiez de se bien placer et de contrôler ainsi la direction et la puissance de ses coups.

Déplacer l'adversaire d'un côté à l'autre

Il y a deux directions où vous pouvez frapper pour déplacer l'adversaire d'un côté à l'autre: à travers le court en diagonale, ou le long de la ligne de côté. Chaque coup possède ses avantages.

Coups croisés Le coup diagonal à travers le court qui est presque toujours un drive brossé s'intègre bien à la stratégie apprise jusqu'ici. C'est un coup sûr pour le débutant puisque:

a) la balle traverse le centre du filet qui est de 15 centimètres plus bas que les côtés.

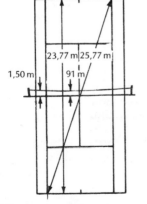

Court plus long - filet plus bas

23,77 m | 25,77 m

1,50 m | 91 m

Pour plus de sûreté frappez un coup croisé

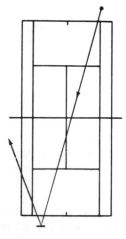

Une balle venant de la diagonale a tendance à ricocher sur la raquette vers l'extérieur.

Frappez en diagonale si vous êtes hors de position

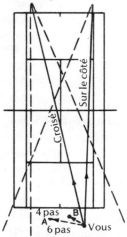

La position d'attente bissecte l'angle possible de retour.
Après un coup le long de la ligne de côté, revenez au point A.
Après un coup croisé, revenez au point B.

b) le court a 2 mètres de plus en diagonale d'un côté à l'autre, qu'en ligne droite.

c) les coups croisés vous donnent un délai plus considérable sur une surface difficile ou par temps venteux. (Le retour en ligne droite d'un coup en diagonale aura tendance à ricocher sur la raquette vers l'extérieur.)

d) il n'est plus aussi essentiel de jouer long. En effet, un coup croisé fait souvent un angle suffisant pour déplacer l'adversaire vers l'extérieur; il lui devient alors impossible d'adopter une position d'attaque.

Le coup croisé s'emploie:

a) pour mettre l'adversaire en mouvement. En commençant un échange, frappez tout de suite un coup diagonal: votre adversaire doit alors courir davantage, puisque vous pouvez donner plus d'angle au coup. Même si vous frappez du côté fort de l'adversaire, le coup croisé aidera à mettre son côté faible à découvert au coup suivant.

b) lorsque l'adversaire vous envoie la balle le long de la ligne de côté. Il devra se déplacer beaucoup pour attraper la balle. Cela vous donne une bonne occasion de faire le point rapidement.

c) pour vous défendre. Vous avez peu de chemin à rebrousser pour vous placer au centre de l'angle possible de retour.

Coups le long des limites latérales Le coup le long de la ligne de côté est souvent une balle coupée comme le slice ou le chop, et s'emploie:

a) pour faire une diversion au modèle de base de frappe à travers le court.

b) pour aider à atteindre le côté faible d'un joueur.

c) pour frapper au-delà d'un joueur qui se déplace rapidement pour couvrir l'autre côté du court.

d) comme coup d'attaque de base (ainsi que décrit ci-dessous).

Tenez compte d'une marge d'erreur plus considérable dans le cas d'une balle le long de la ligne de côté. Donnez une forte rotation à la balle et dirigez-la bien à l'intérieur des limites latérales, car:

a) la balle couvre une distance plus courte et passe au-dessus d'une partie plus haute du filet.

b) il est plus difficile de prolonger le mouvement dans la direction d'envoi de la balle, ce qui fait qu'elle a tendance à glisser de la raquette vers le côté.

Déplacer l'adversaire en avant et en arrière
En théorie, vous souhaitez que votre adversaire reste le plus loin possible au fond du court. Cependant, beaucoup de joueurs ne se déplacent pas aussi volontiers vers l'avant que de côté. De plus, certains joueurs restent en arrière parce qu'ils ne se sentent pas sûrs au filet. Si votre adversaire ne monte jamais au filet, envoyez-lui quelques balles hautes et longues. S'il recule pour renvoyer la balle et que son retour est même juste un peu court, frappez un petit coup (une amortie, par exemple), pour l'obliger à se déplacer vers le filet. Une fois qu'il y sera, «lobez» fréquemment car il est possible qu'il ne s'approche pas du filet à cause de la faiblesse de ses coups au-dessus de la tête.

Des retours courts vous seront aussi profitables si votre adversaire a pour tac-

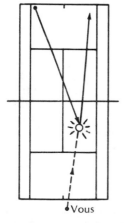

Vous avancez rapidement et frappez fortement la balle le long de la ligne de côté, souvent dans le cas d'un retour court.

(Ne frappez qu'en diagonale)

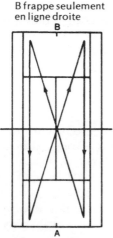

B frappe seulement
en ligne droite

A frappe seulement
en diagonale.

tique de vous attirer au filet et de multiplier ensuite avec succès, lobs et «passing shots». Si votre jeu de filet laisse à désirer lorsque vous y êtes entraîné à l'improviste, attirez-y l'adversaire au moyen d'un coup doux et court (amortie) plutôt qu'un coup d'approche. Même si elles ne déplacent pas l'adversaire tout à fait jusqu'au filet, des balles coupées courtes alternant avec des balles flottantes, peuvent changer efficacement la cadence.

S'entraîner à déplacer l'adversaire

Jouez des points à partir de la ligne de fond pour apprendre l'effet des balles en diagonale, le long des lignes de côté, des drives brossés avec force, des balles flottantes douces, des balles coupées et des amorties. Travaillez à bien vous placer et à trouver votre équilibre en faisant un exercice combinant les coups en diagonale et le long de la ligne: le joueur A ne frappe que des coups en diagonale; le joueur B ne frappe que le long de la ligne de côté. Exercez-vous à la longueur, en particulier lorsque vous frappez le long de la ligne de côté (que toutes les balles atterrissent derrière la ligne de service). Le jeu perd son utilité si vous essayez de frapper trop fort (les 3/4 de la vitesse suffisent), si vous jouez si près de la ligne que des coups sont manqués inutilement, ou si vous vous placez mal.

MONTER À L'ATTAQUE

Jusqu'ici nous avons surtout parlé du tennis défensif. Et nous avons constaté que des manoeuvres foncièrement défensives (balles longues ou balles qui déplacent l'adversaire) peuvent forcer l'adversaire à frapper des retours faibles ou mauvais.

Trois façons de renvoyer une balle courte.

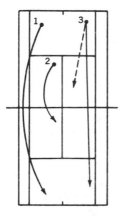

1. Une balle flottante défensive qui vous permet de revenir à la ligne de fond.
2. Une amortie visant à attirer l'adversaire au filet.
3. Un drive raide, premier coup d'une attaque au filet.

Nous allons maintenant explorer ce qui entoure la mise en oeuvre d'une offensive, tant au jeu qu'à l'aide du service.

Lorsqu'on vous envoie une balle courte et que vous devez gagner l'avant du court pour la renvoyer, vous pouvez:

a) jouer tout à fait défensivement et la renvoyer assez doucement, haute, longue et au centre — ne laissant pas d'angle de renvoi à l'adversaire — tout en vous donnant le temps de revenir à une position moins précaire, derrière la ligne de fond.

b) frapper une amortie, solution un peu défensive qui vise à attirer l'adversaire dans la «zone interdite» et vous donne le temps de vous replacer, soit en arrière près de la ligne de fond ou occasionnellement au filet.

c) jouer tout à fait offensivement et «monter à l'attaque» en gagnant le filet.

Nous avons déjà parlé des deux premières possibilités. Nous allons maintenant voir comment et quand on peut monter à l'attaque en employant un coup de base.

S'approcher du filet après un coup de base

Les joueurs intermédiaires et débutants avancés peuvent être assez efficaces au filet (nous avons vu à quel point le mouvement de la volée est simple), à condition qu'ils s'en approchent au moment opportun et en employant le bon coup. En d'autres mots, le facteur primordial de réussite du jeu de filet est la manière de s'y rendre — la montée elle-même.

Quand monter au filet La montée au filet peut se faire après n'importe quelle balle qui rebondit près de la ligne de service (à

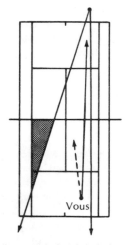

Couvrez le bord de la ligne de côté, en prévision d'un «passing shot.»

Laissez à l'adversaire l'angle étroit du coup diagonal (partie sombre).

moins qu'elle ne fasse un angle étroit), pourvu qu'on parvienne à trouver équilibre et bonne position avant que le retour de l'adversaire n'arrive. Il convient de monter souvent au filet lorsque vous avez un vent fort dans le dos, puisque votre adversaire devra renvoyer la balle contre le vent. Ne vous approchez pas du filet lorsque la balle rebondit près de la ligne de fond, car vous ne parviendrez sans doute pas assez près du filet pour que votre première volée soit efficace.

Prévoir qu'une balle sera courte aide à faciliter le coup d'approche. Vous devez apprendre à «sentir» qu'il se peut que le retour soit court (à cause de coups longs ou difficiles, ou parce que l'adversaire a dû courir beaucoup), et à être préparé mentalement à vous déplacer en vitesse. Si vous prévoyez le coup, vous vous mettrez en mouvement une fraction de seconde plus tôt et cela vous donnera le temps de vous rendre jusqu'à la balle, de trouver votre équilibre et d'être prêt. (Il est à espérer que votre adversaire vous aidera en se trouvant un peu mal placé pour frapper le retour de votre coup d'approche.)

Comment monter au filet Un joueur inexpérimenté ne gagnera sans doute le filet que pour attraper une balle très courte — lorsque son élan l'emporte si loin vers l'avant qu'il ne peut plus reculer. Un joueur plus avancé tentera de provoquer un retour court de la part de son adversaire, particulièrement en coup droit, de façon à pouvoir monter à l'attaque.

Rappelez-vous que tout l'échange sert à attendre une telle occasion. Votre pensée doit passer immédiatement du jeu régulier

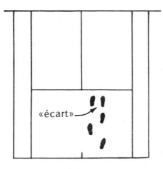

«écart»

Sautez puis arrêtez-vous les pieds écartés au moment où votre adversaire frappe la balle.

La longueur du coup d'approche est importante.

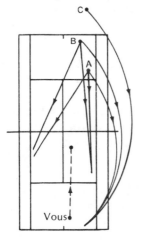

Le joueur A a trois chances contre une de vous «dépasser»

Le joueur B a bonnes chances de vous «dépasser».

Le joueur C ne peut probablement que lober.

en cours à la nécessité d'attaquer — comme le tigre qui a étudié sa position et est enfin prêt à «saisir sa proie». En même temps, ne soyez pas imprudent lorsque l'occasion d'attaquer se présente enfin. Ne frappez pas de coup risqué. À moins que vous ne voyez une ouverture évidente, contentez-vous d'employer un coup d'approche comme coup d'intérim préparant la volée gagnante. Laissez-vous un délai suffisant.

Suivez la balle vers le filet. Cela vous aidera à vous placer au centre de l'angle de retour possible. Si le retour provient d'assez loin derrière la ligne de fond, cela devra être un lob et vous ferez mieux de ne pas vous avancer trop près du filet. De plus, si votre adversaire frappe depuis l'arrière de la ligne de fond, l'angle de son coup diagonal se trouvera très limité.

Avancez par enjambées puis arrêtez-vous bien en équilibre, les deux pieds écartés à plat sur le sol au moment où l'adversaire trappe la balle. Il est important d'être tout à fait prêt à ce moment-là; ne vous faites pas prendre à courir tête baissée vers l'avant, tentant coûte que coûte de vous rendre jusqu'au filet. Ne montez au filet après un coup de base que si vous prévoyez parvenir assez loin pour bloquer les retours d'angles dangereux et les balles basses. Faites en sorte de pouvoir changer de direction en conservant toujours un bon équilibre.

Frappe du coup d'approche Frappez la balle tôt, au coup d'approche. Essayez de ne pas la prendre plus tard qu'au sommet de son bond. L'adversaire a alors moins de temps pour se préparer.

Plus tôt vous frappez la balle et plus vous êtes proche du filet, plus le swing est court. La plupart des balles prises avant le sommet du rebond sont coupées, car le backswing nécessité est alors moins ample et le réglage du coup, plus facile. De plus, la balle coupée a tendance à bondir bas et au ralenti, ce qui oblige votre adversaire à frapper vers le haut.

Direction du coup d'approche Le coup d'approche du joueur plus expérimenté longera habituellement la ligne de côté de façon à:

a) diminuer la portion de court qu'il aura à couvrir lorsque l'adversaire renverra la balle. (Neutralisez avant tout le bord de la ligne de côté, lieu éventuel de «passing-shot»; concédez presque à l'adversaire l'angle étroit du coup croisé.

b) faciliter le placement en vue de la volée; il ne reste alors plus qu'à se déplacer vers l'avant pour attendre un retour le long de la ligne de côté.

Préoccupez-vous davantage de la longueur de votre coup d'approche que de sa vitesse (à moins que vous n'ayez une chance évidente de faire le point), puisqu'une longueur accrue diminue les possibilités du retour. Essayez de viser le revers de votre adversaire, à moins de voir une ouverture sûre du côté de son coup droit. La profondeur devra être une priorité, car jouer long accroît les possibilités de lob ou de retour le long de la ligne de côté.

(Une balle courte permet à l'adversaire de frapper plus facilement dans l'angle étroit, en diagonale. Il est relativement simple de

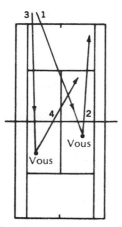

Si la balle vous est renvoyée en diagonale (1), frappez une volée le long de la ligne de côté.

Si le retour longe la ligne de côté (3), frappez une volée croisée.

parer à deux possibilités, mais c'est presque impossible d'en affronter trois.)

Comment frapper le retour Après l'arrêt pieds écartés, déplacez-vous vers la balle et frappez. (Souvent un seul pas suffit). Cherchez l'ouverture. Si la balle vous est renvoyée le long de la ligne de côté, frappez une volée croisée. Si le retour est diagonal, frappez une volée longeant les limites de côté. Si la balle est basse, la volée doit être longue ou produire un angle très étroit. Frappez la balle le plus tôt possible de façon à ce qu'elle n'ait pas le temps de s'abaisser plus bas que le filet. Si la balle est lobée très haut, laissez-la rebondir avant de la frapper pour bien mesurer votre coup. Autrement, frappez-la toujours en plein vol. (Le soleil et le vent peuvent vous obliger à laisser rebondir la balle.) Le coup au-dessus de la tête se frappe offensivement, depuis l'avant du court (c'est le coup le plus efficace au tennis), et plus défensivement (moins d'élan et de puissance, mais une rotation plus importante), depuis plus loin à l'arrière du court.

Utilisation offensive du service

En tant que débutant ou débutant avancé, vous vous êtes sans doute donné comme priorité de mettre la balle en jeu et peut-être de frapper en direction du revers de l'adversaire. En devenant plus aguerri, il convient de varier les services (vitesse, rotation et placement), et de commencer à utiliser le service à des fins offensives.

Profiter des premiers services Comme serveur, vous devriez avoir pour principe de réussir les deux tiers au moins de vos premiers services.

Ne gaspillez pas le premier service sous prétexte que vous avez droit à un deuxième. Vous pouvez vous permettre de jouer plus agressivement (et de plus, compétitivement) au premier service, uniquement parce que vous avez une autre chance. N'oubliez pas que si vous manquez votre premier service, vous êtes dans la même position qu'un lanceur de baseball sur lequel le frappeur aurait pris l'avantage. Vous avez beaucoup moins de chances de pouvoir passer à l'attaque. Le relanceur sait cela et jouera en conséquence.

Cependant, dans le cas de points importants où il faut faire pression sur l'adversaire, une proportion plus grande de premiers services doit être bonne, même si cela implique qu'il faille servir moins agressivement.

Si vous tirez beaucoup de l'arrière, vous feriez mieux de servir plus agressivement pour reprendre rapidement le terrain perdu. Par-dessus tout, ne faites pas de double faute. C'est l'équivalent d'un but gratuit au baseball. Lorsque cela se produit à «avantage contre», c'est comme marcher plutôt que de courir au marbre.

Varier les services Le service plat et raide du côté du revers est peut-être votre service le plus efficace mais vous ne pouvez l'utiliser constamment, pas plus qu'un lanceur n'emploierait toujours une balle rapide. Forcez votre adversaire à se questionner et brisez son rythme.

Servez vers l'extérieur si:

a) vous pouvez profiter d'un angle naturel, comme dans le cas d'une balle coupée

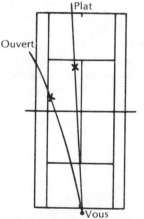

Servez vers l'extérieur pour déplacer l'adversaire.

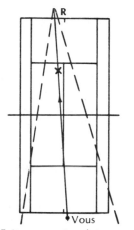

Faites un service plat au centre pour réduire l'angle du retour.

en coup droit lancée du côté du coup droit, ou d'un service américain en revers, envoyé du côté du revers.

b) votre adversaire coupe par en dessous (slice) la plupart des retours. Cela peut vouloir dire qu'il n'est pas capable de bien renvoyer la balle en utilisant un drive — le renvoi normal d'une balle dirigée vers l'extérieur, en particulier pour la frapper en diagonale.

c) votre adversaire a une mauvaise position d'attente — trop loin derrière la ligne de fond, ou trop loin d'un côté du court.

d) votre adversaire recule devant un service vers l'extérieur, plutôt que d'avancer et de couper l'angle.

e) votre adversaire avance pour renvoyer la balle en essayant de monter directement au filet. Un service vers l'extérieur a tendance à le sortir du court et rend plus difficile sa montée au filet.

f) il y a relâchement de la concentration (après un long échange ou une longue partie). C'est un moment indiqué pour faire un service vers l'extérieur, du côté du coup droit.

Servez au centre (par exemple, en coup droit pour l'adversaire, mais du côté du revers par rapport au court) si:

a) le relanceur fait habituellement un large swing. Une balle près du corps rend difficile un swing ample.

b) l'adversaire vous fait des difficultés en dirigeant ses retours vers les angles. Ne lui laissez pas d'angle.

Servez *haut* (services brossé ou américain) si:

l'adversaire renvoie mal un balle haute.

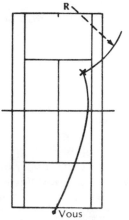

Le service américain est bien utile pour changer la cadence.

Beaucoup de joueurs ne sont pas capables de bien frapper «à travers» une balle haute.

Servez long si:

vous voulez diminuer considérablement l'efficacité du retour, en particulier aux seconds services où il est possible que l'adversaire avance pour se donner un plus grand angle. (Si vous avez peine à servir en longueur, lancez la balle plus en avant et diminuez la rotation imprimée.)

Changer de cadence Certains relanceurs tiennent compte de la cadence du service pour rendre leurs retours efficaces. N'hésitez pas à amplifier la rotation et à ralentir la balle occasionnellement, même lors d'un premier service. Lorsque vous employez un violent service plat, souvenez-vous que le filet est à son plus bas au centre et que la balle parvient plus vite au relanceur par le centre que par les extérieurs. (La balle reviendra vite aussi, mais l'angle du retour sera restreint.)

La montée à l'attaque au service

Quand monter au filet après le service Évidemment, un débutant emploiera rarement le service comme arme offensive. Peut-être un joueur intermédiaire s'avancera-t-il au filet à l'occasion au premier service, mais rarement au second.

Un joueur avancé peut monter au filet au premier ou au second service, particulièrement sur des courts durs plus rapides et sur gazon, ou en servant avec le vent dans le dos.

N'avancez pas au filet si vous n'êtes pas sûr de servir fortement. L'adversaire peut facilement tirer profit de votre position vulnérable et soit vous «dépasser» carrément, ou essayer de vous déjouer avec une volée très faible. (Un service faible devient encore moins efficace sur des courts lents comme ceux de béton rugueux ou de terre battue, ou contre un vent violent. Dans ces conditions, mettez moins l'accent sur l'offensive, particulièrement au second service.)

Vous pouvez rester en arrière après le service, si vous avez souvent de la difficulté à l'employer comme coup d'attaque (votre adversaire a peut-être un retour trop redoutable ou alors vous manquez beaucoup de vos premiers services), ou afin de voir si votre adversaire est assez constant pour réussir de bons échanges de fond de court. Vous pouvez rester en arrière après votre service (et avancer si c'est possible après la première balle courte même après la relance) si vous tirez de l'arrière par 0-30, 0-40 ou 15-40; cela peut changer la cadence du jeu et rompre le rythme de votre adversaire.

Dans tous les cas, vous devez décider avant de servir si vous montez au filet ou si vous restez derrière. Vous ne devez pas attendre de voir si le service est bon ou efficace.

Comment monter au filet après le service: Au cours de l'accompagnement (follow-through) du service, le pied arrière traverse la ligne de fond et se pose dans le court comme au premier pas de la montée au filet. Déplacez-vous vers l'avant en bondissant le plus rapidement possible et arrêtez-vous les pieds écartés, au moment précis où l'adversaire frappe le retour. Si le

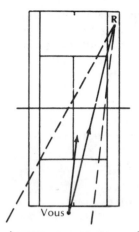

Lorsque vous montez au filet après votre service, prenez la position d'attente au centre de l'angle possible du retour.

service est lent, vous aurez plus de temps pour vous approcher du filet. Il est important que vous avanciez le plus près et le plus rapidement possible au filet pour avoir le temps de retrouver votre équilibre et être prêt au moment de frapper le retour. (Les joueurs qui s'apprêtent mal sont particulièrement vulnérables devant les retours durs et bas, du fait qu'ils s'élancent en courant sur la balle.) Vous devriez avoir le temps de faire trois ou quatre pas avant l'arrêt pieds écartés. Cela vous mène à proximité de la ligne de service, un peu derrière elle probablement. Vous devez accepter le fait qu'il est impossible de parvenir jusqu'au filet depuis la ligne de fond avant le renvoi de la balle. Il vous faudra donc frapper un coup d'approche (volée) depuis la zone interdite, synonyme de difficulté et d'une certaine vulnérabilité.

Après vous être arrêté les pieds écartés, avancez jusqu'à l'endroit où vous voulez frapper la balle. Préparez-vous à une seconde volée et de préférence, choisissez votre point d'impact devant la ligne de service. Puisque vous n'êtes pas encore assez près pour donner un angle prononcé à votre retour, optez pour la longueur. Suivez ensuite la balle jusqu'au filet, comme lorsque vous y montez après un coup de base. Considérez la première volée comme un coup d'approche — ne frappez pas de coup risqué. La première volée sert à préparer la seconde.

Si une ouverture se crée, faites une volée dans cette direction. (Par exemple, un service vers l'extérieur en revers dans le court de revers laisse la partie de droite vide, en particulier si la balle est renvoyée le long de la ligne de côté.) S'il n'y a pas d'ouver-

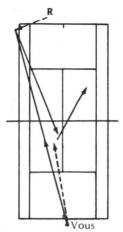

S'il y a une ouverture, frappez une volée dans cette direction.

Exercice d'approche au filet.

Exercice à quatre coups au-dessus de la tête.

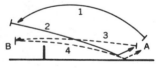

ture évidente, frappez une volée prudente. En fait, beaucoup de bons joueurs dirigent leurs volées uniquement au milieu du court, de façon à diminuer l'angle d'un éventuel «passing shot.»

S'entraîner à l'attaque au filet

Montée après un coup de base Avancez à la première balle courte d'un échange de fond de court. Jouez des points ou à «ne pas faire deux erreurs de plus que le nombre de vos placements». Variez l'exercice de cette façon: au début de l'échange, le joueur A frappe une balle courte à B, qui frappe un coup d'approche et monte au filet pour préparer sa volée. Le joueur A réplique en tentant un «passing shot».

Montée après le service Les joueurs A et B servent et frappent des volées à l'intention du joueur C qui frappe les retours. Jouez des points ou à «pas 2 erreurs de plus que le nombre de placements», ou tout simplement à qui jouera le plus longtemps sans erreur.

Entraînement au jeu de filet Les deux joueurs se placent à leur ligne de fond respective et tous deux montent lentement au filet, coup après coup. Jouez toujours au centre du court, à vitesse réduite aux 3/4. Une fois au filet, faites un échange de volées. Cet exercice aide beaucoup à maîtriser volées basses et demi-volées.

L'exercice «à quatre coups» constitue une autre possibilité: le joueur A alterne drives et lobs et le joueur B (placé au filet) s'entraîne aux volées et aux coups au-dessus de la tête. Toutes les balles doivent être frappées au milieu du court à vitesse réduite aux 3/4.

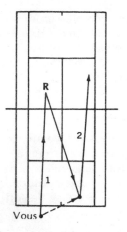

En préparant un «passing shot»: le premier coup (1) déplace l'adversaire de façon à ce que le second (2) le dépasse.

SE DÉFENDRE CONTRE L'ATTAQUE

Le plus important lorsque vous cherchez à vous défendre contre l'attaque, c'est de ne pas vous sentir poussé par la montée au filet de l'adversaire, à tenter des coups trop difficiles. Ne croyez pas que vous n'ayez qu'un seul coup pour faire le point. Forcez l'adversaire à frapper la balle pour vous vaincre. Sa position au filet ne lui donne pas automatiquement le point: on remarque que beaucoup de coups gagnants sont manqués au filet. À moins d'être sûr de pouvoir frapper un coup gagnant, déplacez l'adversaire avec un premier coup, et frappez plus agressivement au second. Ne vous pressez pas. Ne vous faites pas prendre à l'improviste ou immobilisé à l'arrière.

L'emploi des lobs

Le lob est sans doute le coup le plus négligé au tennis. Un lob rapide peut être efficace (presque une arme offensive même) à renvoyer à l'occasion des balles courtes, particulièrement les balles au centre où l'angle de «passing shot» est restreint. Accordez-vous suffisamment de jeu (ne manquez jamais un lob vers l'extérieur), et projetez la balle très haut. Dès que vous parvenez à passer un lob au-dessus de la tête du joueur au filet, avancez-y vous-même. Même si le lob ne dépasse pas le joueur, il permet de l'éloigner du filet et facilite le «passing shot».

Lobez toujours lorsque vous frappez depuis assez loin derrière la ligne de fond. Lobez fréquemment si le soleil entre en jeu, même si vous ne frappez pas de très loin dans la partie arrière du court. Quoiqu'il soit difficile de lober dans le vent, il est plus malaisé encore de frapper un coup au-dessus de la tête, par temps venteux. (Lorsque vous avez le vent dans le dos, ne lobez pas aussi haut qu'en temps normal.) Les jours de chaleur, lobez beaucoup au début du match. Cela pourrait être un facteur déterminant si le match s'avérait long.

L'emploi des «passing shots»
Le principe le plus important dans l'emploi des «passing shots»(ou coups de débordement) est de garder la balle basse de sorte que si le volleyeur l'attrape, il devra frapper vers le haut et ainsi diminuer la portée offensive de son retour. Les balles brossées retombent plus vite que les balles plates ou coupées. Par conséquent, la plupart des «passing shots» sont frappés avec un topspin assez fort.

Le long de la ligne de côté Les «passing shots» les plus courants sont frappés le long de la ligne de côté. La balle parvient alors plus vite à l'adversaire et lui laisse moins de temps pour se préparer. De plus, il est difficile pour un joueur au filet courant vers le côté du court de contourner la balle assez vite pour frapper un coup croisé.

Puisque le joueur au filet couvre probablement le bord de la ligne de côté, il vous faut frapper la balle assez fort pour le dépasser. Replacez-vous rapidement après le coup, car le joueur au filet tentera une volée dans l'angle ouvert, en diagonale.

En diagonale Le «passing shot» en diagonale est efficace si vous avez l'occasion de l'utiliser, en particulier pour renvoyer une

Le «marbre» du relanceur

Relance

volée courte et basse. Il n'est plus aussi important de frapper fortement la balle car si votre coup est bas et doux, le volleyeur peut difficilement riposter. Si vous jouez toujours en diagonale, votre adversaire a un angle de volée plus étroit, ce qui vous laisse moins de distance à faire pour atteindre le coup suivant.

Souvent un coup léger destiné à changer la cadence du jeu va déplacer suffisamment l'adversaire pour que vous puissiez vous préparer à tenter un «passing shot» au coup suivant, ou l'attirer près du filet où il aura peine à réagir à un lob.

La relance offensive
Un bon serveur détient l'avantage initial qu'il monte ou non au filet après son service. Cependant, une bonne relance peut au moins neutraliser l'avantage du serveur.

Une bonne position sur le court Si vous êtes bien placé au départ, il est possible que vous n'ayez pas à vous déplacer pour renvoyer la balle, particulièrement lorsque vous vous tenez un peu vers l'avant de façon à diminuer les angles. Votre «marbre» en tant que relanceur se trouve à 0,33 mètre à peu près du corridor, sur la ligne de fond. Cette position, dépendante du point d'où le serveur frappe, est calculée de façon à ce que vous vous trouviez au milieu de l'angle possible du service, quelle qu'en soit la rotation ou la puissance. Reculez un peu derrière la ligne de fond si l'adversaire a un service violent, ou légèrement devant s'il sert doucement.

Si vous êtes bien placé, il peut suffire de tourner les épaules et de faire un backswing droit et court — plutôt qu'un déplacement complet avec pivot — pour

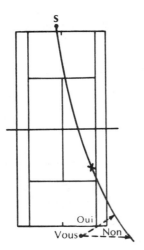

Ne reculez pas lorsqu'un service arrive dirigé vers l'extérieur.

envoyer la raquette en arrière. Le retour se divise en deux mouvements: 1) tournez les épaules et envoyez la raquette vers l'arrière (sans poser le pied en diagonale), 2) faites un pas dans la direction de frappe au moment de l'élan avant.

Si vous devez vous déplacer vers l'extérieur pour renvoyer la balle, avancez puis déplacez-vous vers le côté, de façon à diminuer l'angle du service. Ne reculez jamais si le service est dirigé vers l'extérieur. De même, ne «chargez» pas la balle. Une des erreurs habituelles du débutant est de courir en avant vers la balle plutôt que de virer de côté. Tenez-vous à la hauteur de la balle — les genoux toujours fléchis à la relance. Ne les tendez pas au moment de l'impact.

Neutraliser l'avantage du joueur au filet
La concentration vous aide à être prêt mentalement à tous les services — à être «accordé» — et vous aide à surveiller la balle. Considérez le service à venir comme un défi, cela vous aidera; le serveur est aussi mis au défi de frapper un bon service. Ne laissez pas un serveur vous contraindre à tenter un retour trop difficile, du fait qu'il est monté au filet (à moins qu'il ne s'agisse d'un coup gagnant). Le retour habituel face à un joueur au filet est une balle brossée normale ou un drive assez plat légèrement en direction du revers de l'adversaire, mais bas et au milieu du court. Il y a moins de chances que vous manquiez ce retour et l'adversaire n'a devant lui qu'un angle de volée restreint. Idéalement, vous devriez frapper bas pour qu'il relève la balle.

Varier les retours Beaucoup de joueurs de filet ont l'habitude de répondre par une

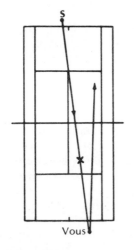

S

Vous

Relance de base contre un joueur au filet.

volée à un retour raide, mais sont «empêtrés» lorsque la relance est douce. Employez souvent une balle coupée (chip) commune, doucement frappée, en particulier contre un joueur qui frappe fort ou qui monte au filet très rapidement.

Par-dessus tout, si une méthode échoue, essayez-en une autre — frappez de plus près ou de plus loin, plus fort ou plus doux, ouvrez ou fermez l'angle, ou montez vous-même au filet.

Raccourcissez votre backswing et placez-vous un peu plus vers l'avant pour attendre le service, lorsque l'adversaire a de la difficulté à servir (particulièrement aux seconds services, plus courts) et que vous pensez pouvoir exercer une pression sur lui. Avancez aussi lorsque l'adversaire s'approche trop du filet, à sa première volée. Vous pouvez l'empêcher d'avancer autant en frappant la balle plus tôt vous aussi. Vous pouvez même gagner le filet avant lui, en utilisant le retour comme coup d'approche.

Placez-vous plus en arrière si vous voulez avoir plus de temps pour réagir. Cela peut aussi dérégler la montée au filet du serveur. Frappez au milieu du court pour minimiser les chances de volées dans les angles, et pour être prêt à lober au second coup.

S'entraîner à jouer contre un attaquant
Jouez des points contre un joueur au filet, en employant l'un des exercices suivants.

Exercice d'approche à l'aide des coups de base à 3 contre 1 Les joueurs A, B, et C, placés d'un côté du filet, amorcent l'échange à tour de rôle par un coup d'ap-

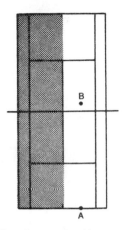

Exercice avant-arrière.

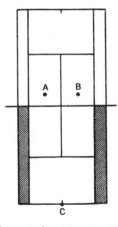

Ex. australien à 2 contre 1

proche frappé à partir de la ligne de fond. Ils montent ensuite au filet. Le joueur D placé de l'autre côté s'exerce au «passing-shot».

Exercice de services et de volées à 2 contre 1 Les joueurs A et B placés d'un côté servent et frappent des volées; le joueur C frappe relances et «passing shots». Le serveur devrait diriger ses volées dans la partie libre du court.

Exercice avant-arrière: Utilisez un seul côté du court, l'espace compris entre le centre et le corridor. Le joueur A se tient sur la ligne de fond d'un côté, et le joueur B au filet de l'autre côté. Le joueur A tente contre B toutes les sortes de «passing shots» possible — lobs, drives, balles douces, bailes fortes, etc. (Si A lobe au-dessus de la tête de B, le joueur A monte au filet pour passer à l'offensive.)

Exercice australien à 2 contre 1 Les joueurs A et B sont placés au filet et couvrent tout le court, y compris le corridor. Le joueur C est placé à la ligne de fond du côté opposé et ne couvre que le court de simple. Les joueurs A et B font courir le joueur C le plus possible sans frapper de coups gagnants. (Le joueur C devrait être tout juste capable d'attraper toutes les balles.) À chaque échange, le joueur C essaie de faire le point en employant un «passing shot» (drive ou lob).

PRINCIPES DE LA STRATÉGIE EN DOUBLE

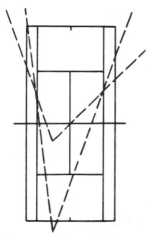

Principe de base: du filet, vous pouvez frapper davantage dans les angles.

Le double est un jeu excitant où l'on doit se déplacer rapidement, ce qui exige beaucoup de collaboration et de communication entre les partenaires. Pensez à cela en choisissant un partenaire et prenez soin d'en choisir un dont le style de jeu puisse compléter efficacement le vôtre. (Un joueur rapide et un joueur plus lent mais plus fort forment souvent une bonne équipe.)

Même si le court est de près de trois mètres plus large qu'en simple, les partenaires peuvent couvrir toute la surface du court avec une facilité égale. Par conséquent, contrairement au simple, il est peu probable que vous parveniez à mettre vos adversaires hors de position en frappant depuis l'arrière du court: l'angle où vous devriez frapper pour réussir est trop étroit. Il est improbable aussi que vous puissiez utiliser la force des coups provenant de l'arrière avec autant d'efficacité qu'en simple — il est difficile en effet de frapper «à travers» deux adversaires en partant de l'arrière.

De ces deux considérations découle la stratégie de base du double: pour les joueurs intermédiaires et avancés, il s'agit de s'approcher du filet où l'on peut jouer dans les angles, et où rapidité et habileté peuvent être utiles. Puisque le court est plus facile à couvrir, les deux joueurs peuvent se placer au filet et le risque est moins grand qu'en simple. Même en débutant, les partenaires devraient essayer de jouer près du filet. Les partenaires du serveur et du relanceur se placent tous deux au filet au début de l'échange, et leurs deux coéquipiers devraient les y rejoindre le plus vite possible. Une fois parvenu au filet, votre but principal est de forcer les adversaires à frapper haut pour que vous puissiez avancer et rabattre la balle vers le bas.

Du stade débutant jusqu'à l'intermédiaire, une bonne position est le facteur primordial de réussite en double. Les positions de base et les objectifs qui y correspondent se trouvant esquissés, nous discuterons à présent des intentions plus spécifiques de chaque équipe, dans des situations précises.

POSITIONS SUR LE COURT ET STRATÉGIE DE BASE

Positions de service

Le serveur se tient à proximité de la ligne de fond entre le corridor et la marque centrale. Le partenaire du serveur se tient à moins d'un mètre du corridor et à 3 mètres du filet (plus près pour les joueurs avancés). Le meilleur serveur devrait habituellement servir le premier au cours de tous les sets. Quelquefois, les conditions de jeu tel un vent d'arrière ou un soleil aveuglant feront que le serveur le

Positions du serveur et de son partenaire.

Position du relanceur et de son partenaire.

plus faible aura intérêt à commencer. (Aucun des joueurs n'a à servir dans le soleil si l'un est gaucher et l'autre droitier.)

Positions de relance

Le relanceur se tient sur la ligne de fond, au centre de l'angle possible d'arrivée de la balle. En début d'échange, le partenaire du relanceur se place au milieu de la ligne de service, de son côté du court.

Le principal facteur déterminant lequel des deux partenaires frappera le premier retour (c'est-à-dire qui recevra dans le court de coup droit, et qui recevra dans le court de revers) est le confort même des joueurs d'un côté ou de l'autre. Un joueur naturellement habile à frapper de revers des balles coupées prendra le côté droit où la plupart des services sont dirigés près du revers. Le joueur le plus habile au drive de revers brossé jouera à gauche, puisque de ce côté il y a plus de place pour faire un swing de retour ample.

Un joueur gaucher jouera dans le court de revers pour forcer le serveur à toujours diriger ses balles vers le centre, et pour que lui et son partenaire frappent en coup droit les balles dirigées vers l'extérieur, qui exigent un déplacement plus considéra-

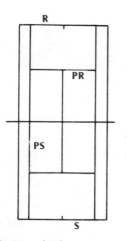

Position d'échange en double pour débutant

sidérable. Le gaucher pourra aussi occuper la droite du court pour que les deux coups droits couvrent le centre où la plupart des balles atterrissent.

Le meilleur joueur peut se placer sur le court droit puisque la majorité des services (la moitié au moins) sont frappés de ce côté (par exemple, le relanceur de gauche renvoie une balle de moins lorsqu'une partie se termine au point suivant 40-15). Le meilleur joueur peut aussi occuper la gauche, puisqu'il est plus en mesure d'assumer la tension d'un dernier point de partie.

STRATÉGIE DE L'ÉQUIPE DE SERVEURS DÉBUTANTS

Le serveur

Le service du débutant n'a pas assez de puissance pour qu'il monte au filet après l'avoir frappé. Par conséquent, le débutant ira rejoindre son partenaire au filet seulement si le retour est tellement court qu'il doit se déplacer à l'avant du court pour l'atteindre. Si vous êtes serveur débutant, retenez ces quelques règles de base:

a) servir le plus possible en direction du revers de l'adversaire.

b) une fois l'échange commencé, frapper des balles flottantes croisées pour empêcher le joueur au filet de s'en saisir, et pour obliger l'adversaire à rester loin à l'arrière du court. Après quelques balles croisées, essayez de lober au-dessus du joueur au filet. Le receveur doit alors courir davantage pour frapper le retour haut et bondissant. Cela veut dire aussi que votre partenaire au filet aura

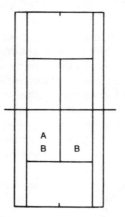

Position de filet

A: Un des joueurs est au filet (à 3 mètres de distance).
B: Les deux partenaires sont au filet (à 5 mètres de distance pour se parer des lobs).

une bonne occasion d'intercepter («chiper») le retour.

c) Si vous devez monter au filet pour renvoyer une balle courte, restez à l'arrière du court de service. N'approchez pas à moins de 5 mètres du filet de façon à vous parer contre un lob.

d) Ne restez jamais dans la «zone interdite» après vous être approché pour renvoyer une balle courte. Rejoignez plutôt votre partenaire au filet; si ce n'est pas possible, reculez derrière la ligne de service.

Le partenaire du serveur

Si vous êtes le partenaire du serveur, placez-vous à moins d'un mètre du corridor, et à environ deux mètres et demi du filet. De ce point, vous pouvez prévoir où le retour sera frappé.

Votre responsabilité première est de surveiller le corridor, particulièrement dans le cas de balles servies vers l'extérieur. Cependant, lorsque la balle rebondit haut et loin dans le centre du court adverse, déplacez-vous un peu vers le centre de votre court, à l'opposé du corridor. (Il est à peu près impossible que l'adversaire renvoie la balle dans le corridor et, en vous déplaçant vers le centre, vous avez de bonnes chances de chiper le retour.)

Si la balle se dirige de façon imprévue vers le joueur de filet adverse, reculez de quelques pas et déplacez-vous vers le centre du court. Cela accroîtra vos chances de parvenir à riposter — la balle sera envoyée soit à vos pieds, soit entre votre partenaire et vous.

Si la balle est lobée au-dessus de vous, changez de côté et laissez votre partenaire

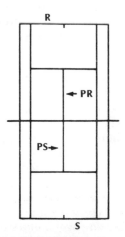

Une fois l'échange commencé, les joueurs au filet devraient faire attention aux balles dirigées au centre du court.

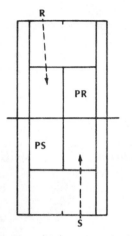

Position d'échange en double avancé

frapper le coup. Reculez de quelques pas juste devant la ligne de service, de façon à prévoir un braconnage de l'adversaire.

STRATÉGIE DE L'ÉQUIPE DE SERVEURS INTERMÉDIAIRES ET AVANCÉS

En double, prenez moins de risques au premier service et donnez-vous plus de latitude (augmentez la rotation par exemple) de façon à bien mettre la balle en jeu. Un bon premier service est très important, car:

a) votre partenaire au filet peut chiper la balle plus efficacement.

b) en tant que serveur, vous pouvez monter au filet plus facilement. (Un joueur intermédiaire devrait monter au filet après beaucoup de premiers services, mais beaucoup moins souvent après les seconds. Un joueur avancé montera fréquemment au filet après n'importe quel service puisque le plus souvent l'équipe qui parvient au filet la première fait le point.)

c) stratégiquement, vous avez l'avantage. Si vous manquez le premier service, le relanceur aura sans doute moins de peine à renvoyer le second. Le deuxième service est habituellement moins rapide et a une rotation plus considérable, ce qui accroît sa tendance à parcourir moins de distance. Vous devez aussi être plus prudent en deuxième service. Le relanceur sait que vous servirez presque toujours du côté de son revers, alors il, peut essayer de vous duper — se déplacer autour de son revers, monter plus vite vers l'avant, et ainsi de suite.

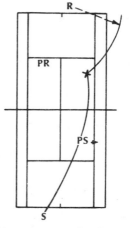

Un service vers l'extérieur ralentit l'attaque du relanceur.

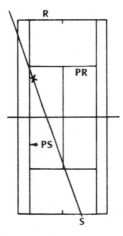

Le partenaire du serveur se déplace avec la balle.

Servir vers l'extérieur

Les services vers les extérieurs qui portent le plus sont le service coupé en coup droit dans le court de coup droit, et le service américain en revers, dans le court de revers. Un service vers l'extérieur sera efficace si:

a) votre adversaire avance au filet trop vite après le retour. Un service vers l'extérieur le ralentit en l'obligeant à se déplacer vers l'extérieur pour frapper le retour, plutôt que de le laisser avancer.

b) votre adversaire renvoie avec difficulté un coup dirigé vers l'extérieur.

c) vos deux adversaires sont placés derrière la ligne de fond. Le relanceur se trouvant entraîné vers l'extérieur, une ouverture peut se créer et permettre à votre coéquipier de chiper la balle.

Servir au centre

Le service dirigé vers le centre du court est le service de base en revers, dans le court de coup droit. Dirigé dans le court de revers, c'est un coup efficace lorsque:

a) votre adversaire se prépare au service habituel en direction de son revers, particulièrement lorsqu'une des équipes est à «avantage».

b) votre adversaire fait souvent un swing trop ample pour renvoyer la balle, en revers. Ce service dirigé vers le centre pourra entraver son mouvement.

c) le relanceur renvoie efficacement les balles dans les angles. Le service au centre diminue son angle de retour.

Le service au centre du court permet au partenaire du serveur de chiper plus facilement la balle au centre, car il est plus

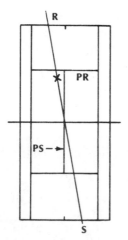

Un service au centre aide le partenaire du serveur à chiper la balle.

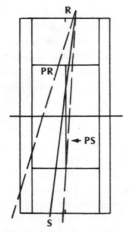

Un service au centre donne au relanceur moins de place pour renvoyer la balle.

difficile pour l'adversaire d'orienter le retour vers le corridor. À cause de cela, en début d'échange le partenaire du serveur placé au filet se tiendra souvent dans le court de coup droit, mais près du centre, puisque le service de base se fait en direction du revers (le service au centre du court). Il est plus que probable que dans le court de revers le service sera dirigé vers l'extérieur; le partenaire se portera donc souvent plus près du corridor.

Le braconnage

Le braconnage est une stratégie de service qui consiste pour le joueur de filet à se déplacer du côté de son partenaire pour intercepter le retour. Le chipeur dirige son coup vers l'ouverture entre le relanceur à l'arrière et le joueur au filet, ou légèrement aux pieds du joueur au filet. Si l'élan du chipeur le porte du côté du serveur, celui-ci se déplacera pour couvrir le côté original de son partenaire.

Si l'équipe qui sert décide d'employer souvent le braconnage au cours d'un match en particulier, il serait bon que le joueur au filet indique à l'avance ses intentions à son partenaire. Il peut lui signaler qu'il reste sur place, chipe ou feint de chiper. La décision devient alors un engagement sans retour. Le serveur doit couvrir le côté de son partenaire dès le moment où il sert.

Si vous êtes serveur et que votre partenaire s'apprête à chiper la balle, frappez plus près du centre du court. Servez plus près du centre afin de vous protéger contre un retour en angle. Le braconnage a plus de chances d'être efficace au premier service; fixez donc votre attention sur la réussite de

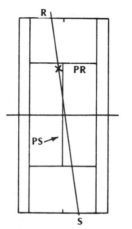

Au braconnage, le partenaire du serveur se déplace vers le centre et le serveur couvre le côté de son partenaire.

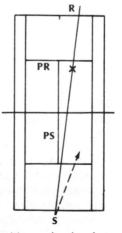

Positions de la formation australienne

votre premier service et ne tentez pas de coups incertains.

Le braconnage peut être utile:

a) si vous avez peine à marquer le point lorsque votre équipe sert d'un côté en particulier. Le braconnage peut aider à briser le rythme du relanceur et l'empêcher de précipiter son retour. Le receveur doit tenir compte de beaucoup de choses lorsque le joueur de filet adverse se prépare à chiper la balle.

b) à un moment important, par exemple lorsque le pointage est «avantage contre». Le braconnage peut sortir le serveur du pétrin, particulièrement s'il a eu à se battre pour gagner le service.

La formation australienne

Voici une autre stratégie de service qui tend à neutraliser une relance efficace (particulièrement le retour en angle large effectué en revers, depuis le court de revers). La stratégie tient à la position du partenaire du serveur qui se place du même côté que le serveur de façon à intercepter le retour croisé. Le serveur doit se poster tout près du centre du court pour servir, de façon à pouvoir se déplacer vers l'autre côté et protéger le territoire habituellement couvert par son partenaire. Si le serveur frappe vers le court de revers, le joueur au filet se place du côté gauche (plutôt qu'à droite) du court. Le serveur frappe près du centre du côté gauche puis gagne le côté droit où il reste durant l'échange. Le relanceur se voit alors obligé de renvoyer la balle le long de la ligne de côté, retour souvent difficile pour le joueur qui possède un bon revers croisé. Dans certaines situations, la tactique sera

Positions sur le court lorsqu'un lob passe au-dessus de la tête du partenaire du serveur.

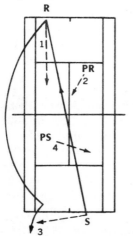

1. Le relanceur monte au filet (pas trop près).
2. Le partenaire du relanceur avance et couvre le centre.
3. Le serveur se déplace pour frapper le lob après son bond (même s'il était en train de monter au filet après son service, il lui appartient quand même de frapper un lob qui dépasse son adversaire).
4. Le partenaire du serveur change de côté aussitôt qu'il s'aperçoit qu'il ne peut frapper le lob. Il couvre le centre et recule dans le court de service pour le cas où son partenaire frapperait un mauvais coup.

mise en oeuvre pour dérégler le relanceur, ou pour sortir d'un mauvais pas.

STRATÉGIE DE L'ÉQUIPE DE RELANCEURS DÉBUTANTS

Le relanceur

Le relanceur tente de frapper la balle hors d'atteinte du joueur au filet et essaie de la frapper haut et loin, en direction du serveur. Le serveur et le relanceur continuent ensuite à s'échanger au-dessus du filet d'un côté à l'autre des balles hautes, longues et flottantes. Si vous êtes le relanceur, essayez parfois de frapper un lob au-dessus du joueur au filet. Si le retour est court, approchez pour frapper la balle et restez au filet avec votre partenaire.

Le partenaire du relanceur

Le partenaire du relanceur regarde toujours son coéquipier renvoyer le service et l'aide à déterminer s'il tombe à l'intérieur des lignes ou pas. Aussitôt que le partenaire du relanceur voit que le retour ne sera pas intercepté par le joueur au filet, il monte de la ligne de service jusqu'à sa position initiale, à trois mètres du filet. Si son partenaire l'y rejoint, les deux joueurs se tiennent à environ 5 mètres du filet de façon à pouvoir mieux réagir à un lob éventuel. Ils jouent maintenant côte à côte. Si l'un des joueurs doit courir vers l'arrière pour récupérer un lob, son partenaire recule aussi. (Il y a trop de risques à rester au filet puisque le joueur qui s'est déplacé vers l'arrière devra sans doute lober et les adversaires s'avanceront à leur tour au filet.) Si les deux joueurs sont à l'arrière et que l'un d'eux monte à l'avant pour frapper la balle, son partenaire le suit.

STRATÉGIE DE L'ÉQUIPE DE RELANCEURS INTERMÉDIAIRES ET AVANCÉS

Le relanceur

La relance est l'un des coups les plus importants en double, car elle fixe le rythme de l'échange. Le serveur intermédiaire peut rester en arrière, en particulier au second service. Si vous êtes relanceur, renvoyez la balle bien au-dessus du filet et loin, hors d'atteinte du joueur de filet, comme au double de débutants. Montez souvent au filet après la relance.

En double avancé, le relanceur présume que le serveur va monter au filet et il cherche à frapper une balle basse en direction du serveur en train d'avancer, ceci pour l'obliger à répondre par une volée. Habituellement, le receveur montera aussi au filet après sa relance, bien que le plus important soit de mettre la balle en jeu.

Si vous êtes un relanceur avancé, placez-vous de façon à avoir les meilleurs chances possibles de mettre la balle en jeu. Reculez un peu si vous avez peine à renvoyer un service raide. Plus vous vous tenez loin vers l'arrière, plus vous êtes en mesure de faire un swing ample et de brosser la balle (plus de topspin). Plus vous vous tenez près vers l'avant, plus vous devez raccourcir votre swing et couper la balle d'un «chip» (plus d'underspin). Cela vous permet aussi de mieux vous parer du braconnage, de frapper la relance vers le bas et d'avancer pour frapper vos volées.

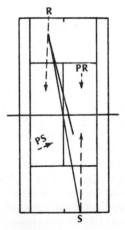

Retour bas; les quatre joueurs se déplacent vers l'avant.

Renvoyez la balle plus agressivement si vous tirez beaucoup de l'arrière dans une partie donnée. Si le partenaire du serveur chipe souvent et efficacement les balles, un lob rapide au-dessus de la tête du joueur de filet sera utile. Il existe d'autres possibilités comme un «passing shot» dans le corridor ou le placement des deux partenaires de la ligne de fond en début de point.

Le partenaire du relanceur

Si vous êtes le partenaire du relanceur, vous commencez normalement l'échange au centre de la ligne de service. Votre rôle est de juger les services et de surveiller le retour de votre partenaire. Si le retour est assez bas et dirigé vers le serveur en train d'avancer, approchez-vous à 3 mètres du filet. Si la relance prend la direction du joueur de filet (à cause d'un mauvais retour ou d'un braconnage), reculez et approchez-vous du centre pour vous donner le temps de réagir et pour bloquer l'ouverture au milieu du court. Si la relance est basse et au centre du court, vous pouvez chiper la balle au milieu.

Vous trouvant partenaire du relanceur, il sera bon de rester en arrière à la ligne de fond si:

a) le partenaire du serveur chipe souvent et efficacement les balles (aux premiers services, par exemple). Le chipeur a plus de difficulté à frapper un coup gagnant à vos pieds, ou entre vous et votre partenaire, si vous vous trouvez en arrière.

b) votre partenaire a de la peine à frapper les relances. Si les deux partenaires se trouvent en arrière, le receveur a plus de latitude — un retour bas n'est pas aussi essentiel. Le receveur peut penser uniquement à renvoyer la balle.

c) le serveur monte toujours au filet avant

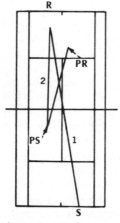

Si le service (1) est renvoyé au joueur de filet (2), le partenaire du relanceur recule et s'approche du centre pour frapper une volée éventuelle (3).

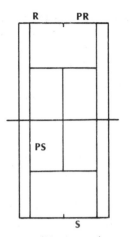

Lorsque l'équipe relanceuse reste en arrière, frappez au centre du court et lobez fréquemment.

le relanceur et, du fait qu'il se place mieux, fait le point avec sa première volée. Dans ce cas, vous devriez tous deux rester en arrière. Le jeu en arrière du court permet non seulement un retour moins précis, mais accroît la difficulté du serveur adverse à diriger sa première volée en angle de façon à faire le point.

d) l'équipe serveuse est rapide et donne au jeu beaucoup de vitesse et d'élan. L'équipe relanceuse devrait alors rester en arrière pour essayer de briser l'élan. Cette tactique peut aussi être efficace au moment de certains points, à cause de son impact psychologique; on l'emploie ainsi aux deux premiers points d'une partie, lorsque l'équipe serveuse a eu l'avantage au service assez facilement (a tenu son service), plus tôt dans le set.

e) vous voulez profiter de la faiblesse des coups au-dessus de la tête de l'adversaire. Dans ce cas, le relanceur et son partenaire se tiennent loin en arrière et ne font que mettre la balle en jeu au retour. L'échange amorcé, contentez-vous de lobs hauts et fréquents alternés de drives courts et bas.

Quand vous choisissez de rester en arrière, la majorité des balles devraient être frappées vers le centre pour ne pas ouvrir les angles à l'adversaire. (Si un des adversaires est plus loin vers l'arrière, frappez des drives dans sa direction.) Si un lob dépasse votre adversaire, avancez au filet avec votre partenaire. Avant tout, soyez patient et gardez la balle en jeu. Obligez vos adversaires à travailler fort et à frapper bien des coups pour marquer le point.

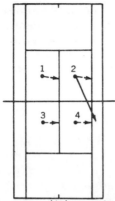

Les joueurs se déplacent côte à côte avec la balle. Si le joueur n° 2 court vers le corridor, les quatre joueurs se déplacent vers le même côté.

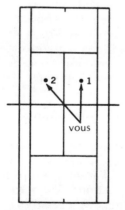

Dirigez les balles hautes aux pieds du joueur le plus proche (1). Frappez doucement les balles basses aux pieds du joueur le plus éloigné (2).

STRATÉGIE LORSQUE LES DEUX ÉQUIPES SONT PLACÉES AU FILET

Au double avancé, une grande proportion de tous les échanges (75%) amènent finalement les quatre joueurs au filet, comme dans un corps à corps à la boxe. En attendant une occasion d'attaquer, essayez de toujours frapper bas. Pour cela, il faut souvent frapper plus doucement. Une fois que la balle est relevée, l'équipe opposée se déplace en avant en vue du «punch» final.

Balles au centre

Lorsque les quatres joueurs sont au filet, la majorité des balles sont dirigées vers le centre. Si vous êtes en train de vous déplacer vers l'avant lorsqu'un retour arrive au centre, vous devrez sans doute frapper la balle. Si l'on vous attire vers l'extérieur, votre partenaire doit se déplacer et couvrir le centre. Si aucun des joueurs n'est en mouvement, celui des deux qui dessert le milieu en coup droit frappera habituellement le coup. En cas de doute, allez-y. Par-dessus tout, évitez l'indécision.

Balles basses

Renvoyez les balles basses aux pieds du joueur le plus éloigné de vous. Une telle volée croisée donne plus de temps à la balle pour retomber aux pieds de l'adversaire. Si vous réussissez à renvoyer la balle basse, avancez au filet car votre adversaire doit frapper une volée haute et vous vous trouverez ensuite bien placé pour diriger votre volée vers le bas et faire le point. Soyez ferme et ne cessez pas d'attaquer. Plus vous vous tenez loin en arrière, plus vos adversaires auront de facilité à frapper à vos pieds. Ne frappez dans les angles que si vous avez l'occasion de jouer une balle gagnante. Ne faites pas cadeau à vos adversaires d'un retour en angle.

Balles hautes
Si la balle vous est renvoyée haute, avancez rapidement et frappez aux pieds de l'adversaire le plus près de vous. Le joueur qui ne frappe pas est prêt à aider son coéquipier si les adversaires tentent un lob rapide ou une volée-lob. (La volée-lob est un coup difficile toutefois, et qui porte rarement des fruits.)

STRATÉGIE LORSQUE VOUS ÊTES AU FILET ET QUE VOS ADVERSAIRES SONT À L'ARRIÈRE

Soyez patient. Faites-vous à l'idée que les échanges seront plus longs et qu'il sera plus difficile de placer la balle. Ne tentez pas de frapper la balle puissamment, au-delà de vos adversaires. De courtes volées en angle peuvent être efficaces puisqu'elles ont tendance à déplacer un des adversaires vers l'avant. Si vous ne pouvez frapper en angle, jouez long et au centre. Vos adversaires resteront ainsi à la défensive, en arrière. Ne vous laissez pas surprendre par des lobs. Placez-vous plus loin du filet: 5 mètres ne sont pas de trop si vous ne faites pas beaucoup confiance à vos coups au-dessus de la tête. Laissez rebondir les lobs hauts, mais ne laissez pas les autres lobs vous dépasser. Si un lob passe au-dessus de la tête d'un des joueurs, les deux partenaires reculent. Puisque vos adversaires se mettront à avancer à ce moment-là, le retour approprié serait un haut lob défensif. Si vous frappez un coup au-dessus de la tête depuis l'arrière du

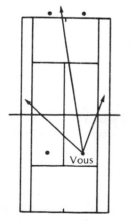

Vous êtes placés au filet et vos adversaires sont à l'arrière.

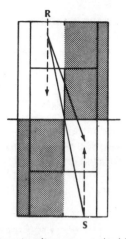

Exercice d'attaque en double à deux joueurs. Toutes les balles doivent être frappées croisées (partie grise). Les deux joueurs montent au filet.

court, donnez-lui plus de rotation et moins de puissance et dirigez-le vers le centre. Smashez énergiquement tous les lobs courts et les balles hautes, le plus souvent possible dans les angles.

ENTRAÎNEMENT AU DOUBLE

Exercice pour débutants
Jouez des points lents (frappez doucement), et donnez priorité aux positions sur le court. Un joueur de chaque équipe se place au filet. (Les joueurs de filet devraient chiper les balles lorsque c'est possible.) Chaque équipe devrait aussi jouer des points contre des adversaires placés tous deux en arrière. Chacune d'elles devrait s'entraîner à jouer depuis l'arrière contre une équipe dont un joueur est en avant et l'autre en arrière, et contre une équipe dont les deux joueurs sont placés au filet.

Exercice avancé
Exercez-vous en utilisant les mêmes positions que dans les exercices pour débutants, mais à pleine vitesse. Ajoutez la formation australienne à l'entraînement pour l'équipe au service.

Jouez des points axés sur l'offensive, à pleine vitesse, mais à deux joueurs seulement. (Cet exercice pousse à faire des volées douces et développe le sens de l'attaque. Il démontre l'importance de monter rapidement au filet.) Toutes les balles doivent être dirigées vers le côté du court adverse qui vous est diagonalement opposé. Le serveur et le relanceur doivent tous deux monter au filet. Ne frappez que des deuxièmes services de façon à mettre plus de balles en jeu.

NOTES SUR LE TENNIS

HISTOIRE

Le tennis a des antécédents riches et intrigants. La malchance a assombri son histoire, mais même les rois ne purent empêcher l'ascension régulière de sa popularité. Le perfectionnement de l'équipement, des installations et des méthodes a fait du tennis moderne, à juste titre, un des sports les plus intéressants et les plus exigeants du monde.

Le tennis provient d'un jeu proche du handball auquel on s'adonnait dans l'Antiquité en Grèce, à Rome, en Égypte, en Perse et en Arabie. En France, aux XIIIe et XIVe siècles, le tennis s'appelait «jeu de paume». Toutefois, son nom actuel proviendrait, dit-on, du mot «tenez».

Un troubadour itinérant aurait popularisé le jeu auprès des dames et des gentilshommes de la cour de France. On y jouait à l'intérieur en utilisant comme filet une corde tendue à travers la pièce, ou à l'extérieur par-dessus un remblai de boue. Au début, on se renvoyait à main ouverte de part et d'autre du filet un sac de drap rempli de crin. Plus tard, on se mit à utiliser une palette toute faite de bois, pareille à une grosse raquette de ping-pong.

Même si le tennis fut banni par Louis IV à cause de sa prétendue indignité, sa popularité ne cessa de s'accroître. Louis X le proscrit à nouveau au XIIe siècle, jugeant que le tennis devrait être perçu comme un sport réservé aux rois.

Au XIVe siècle, le tennis gagna l'Angleterre mais là aussi, il connut des débuts hésitants.

Le jeu fut interdit parce que le roi considérait que ses soldats perdaient leur temps à jouer au tennis, plutôt que de pratiquer leur tir à l'arc.

On joua très peu au tennis au cours des deux cents ans qui suivirent, et ce n'est qu'au XVIe siècle que le goût du tennis revint lentement en France, en Angleterre et dans les autres pays européens. Le filet vint remplacer la corde et l'on donna à la palette une forme de raquette à neige, et des cordes de boyau. Le tennis devint plus compétitif et l'on prenait fréquemment des paris sur l'issue des matches.

Des édits vinrent à nouveau bannir le tennis à cause des paris cette fois, et le sport connut une autre chute de popularité telle qu'au XIXe siècle, seuls les gens riches pratiquaient le tennis.

L'histoire moderne du tennis commença en 1873, au moment où le major Walter Wingfield introduisit le «lawn tennis» en Angleterre. Son jeu consistait à totaliser 15 points, et seul le serveur pouvait compter. Appelé *sphairistike* à cause de la racine grecque du mot «balle», on y jouait sur un court en forme de sablier, divisé par un filet de deux mètres de haut.

En 1874, Mary Outerbridge introduisit le tennis aux États-Unis. En vacances aux Bermudes, elle eut l'occasion de voir des soldats anglais, amis de Wingfield, jouer aux *sphairistike,* et réussit à rapporter dans son pays deux raquettes, une balle et un filet, malgré les difficultés que lui firent d'abord les employés des douanes américaines. Elle est en grande partie responsable de l'installation du premier court de tennis aux États-Unis, sur les gazons du Club de baseball et de cricket de Staten Island.

Le sport s'établit rapidement et devint un jeu d'adresse robuste et rapide. En 1881, l'Association américaine de Lawn Tennis fut fondée dans le but de normaliser les règlements relatifs au pointage, à la grosseur de la balle et de la raquette, et aux dimensions du court. Aujourd'hui, des joueurs individuellement, des écoles, des services de loisirs, des municipalités et des clubs font partie de l'association (U.S.L.T.A.), et la popularité du tennis continue de s'accroître.

COMPÉTITION

Le tennis est aujourd'hui dans une phase de changements importants. Jusqu'à tout récemment, les principaux tournois n'étaient ouverts qu'aux amateurs (des joueurs non éligibles à recevoir des prix en argent). Les professionnels, en nombre limité (chaque année, le, ou les deux meilleurs amateurs devenaient ordinairement professionnels, c'est-à-dire aptes à gagner de l'argent en jouant), faisaient surtout des tournées de matches d'exhibition à travers le monde. Destinées à encourager clandestinement les meilleurs joueurs, les sommes d'argent que distribuaient les organisateurs de tournois pour attirer les amateurs de haut calibre, devenaient si considérables que bien des amateurs gagnaient plus d'argent que les professionnels. En 1968, les Anglais voulant faire cesser cette pratique hypocrite, ont ouvert le tournoi le plus important du monde — celui de Wimbledon, né en 1877 — à tous les joueurs amateurs et professionnels et ont offert des prix en argent. Ce geste a fait que presque tous les principaux tournois internationaux sont maintenant ouverts, et aux amateurs, et aux professionnels. Les professionnels à contrats (ceux liés par un contrat à un organisateur en particulier), les joueurs (appellation nouvelle et sans doute temporaire pour désigner les compétiteurs jouant pour de l'argent, mais non liés par des contrats à aucun groupe ou individu), et les vrais amateurs (surtout des joueurs d'âge universitaire et plus jeunes, non éligibles aux prix en argent), peuvent se rencontrer dans des tournois ouverts à tous.

Gagnants de la coupe Davis: l'Australie, la Grande-Bretagne, la France, les États-Unis.

Principales compétitions internationales d'équipes

Coupe Davis (créée en 1900)

Chaque pays envoie annuellement ses meilleurs tennismen rencontrer en double des représentants des pays de sa zone. Les gagnants de chaque zone s'affrontent ensuite.

Coupe Wightman (créée en 1923)

Ce trophée est décerné annuellement aux gagnantes d'un double opposant Anglaises et Américaines. On y joue 5 matches en simple et deux en double.

Coupe de la Fédération (créée en 1963)

La Fédération internationale de Lawn Tennis est l'instigatrice de cette compétition internationale d'équipes pour femmes. Une nation joue contre une autre (2 matches en simple et 1 en double), ce qui constitue un tournoi d'élimination.

Grand chelem

Principales compétitions internationales individuelles

Les tournois internationaux les plus importants (maintenant ouverts à tous) sont les championnats anglais (Wimbledon), américains (Forest Hills, New York), français et australiens. Ce sont des tournois d'élimination. Les seuls joueurs ayant réussi un «grand chelem», c'est-à-dire qui aient gagné la même année les quatre tournois sont: Don Budge et Maureen Connolly des États-Unis, et Rod Laver et Margaret Smith Court d'Australie.

Organisation des tournois aux États-Unis

Les États-Unis sont divisés en 17 sections, toutes régies par l'Association américaine de Lawn Tennis (U.S.L.T.A.), mais individuellement responsables de la promotion et de la direction des compétitions de tennis dans leur région spécifique. Le classement en vue des compétitions locales et nationales se fait d'après l'âge et le sexe. La catégorie jeune se subdivise en: moins de 10, 12, 14, 16 et 18 ans; les hommes en: plus de 35, 45, 55, et 60 ans; les femmes en: plus de 35, et 40 ans, en simple ou en double. Il existe aussi des compétitions en double mixte.

Les jeunes peuvent faire partie d'un groupe d'âge spécifique, uniquement s'ils n'ont pas atteint l'âge maximum de ce groupe au 1er janvier de l'année de la compétition. Un adulte peut faire partie d'un groupe s'il atteint l'âge minimum à n'importe quel moment durant l'année de la compétition.

Dans chaque section, des compétitions sont organisées presque hebdomadairement à l'intérieur de la plupart des rencon-

Les sections de l'U.S.L.T.A.

Eastern—30 E. 42nd St., New York, NY 10017

Florida—P.O. Box 515, N. Miami, FL 33161

Hawaii—P.O. Box 411, Honolulu, HI 96809

Middle States—1845 Walnut St., Philadelphia, PA 19103

Missouri Valley—937 45th, Des Moines, IA 50312

New England—22 Wilde Road, Wellesley, MA 02181

Northern California—235 Montgomery, San Francisco, CA 94104

Northwestern—975 Northwestern Bank Bldg., Minneapolis, MN 55402

Pacific Northwest—1040 Logan Bldg., Seattle, WA 98101

Intermountain—242 Sandrun Road, Salt Lake City, UT 84103

Middle Atlantic—2030 Greenwich St., Falls Church, VA 22043

Puerto Rico—Banco Credito, San Juan, PR 00905

Southern—3121 Maple Dr., N.E., Atlanta, GA 30305

Southern California—609 N. Cahuenga Blvd., Los Angeles, CA 90004

Southwestern—3003 N. Central, Suite 613, Phoenix, AZ 85012

Texas—3406 W. Lamar St., Houston, TX 77019

Western—69 W. Washington St., Chicago, IL 60602

tres de la saison — presque toute l'année sous certain climats. Des circuits réguliers de rencontres sont établis à l'intérieur des sections et entre elles, et les classements locaux et nationaux dans chaque catégorie sont publiés à tous les ans. On obtient de l'information sur les compétitions au bureau général de chaque section.*

ÉQUIPEMENT

La raquette

Bois versus métal La raquette de bois est faite de plusieurs morceaux de bois de qualité supérieure assemblés au moyen de colle, de chaleur et de pression. La tête de la raquette est faite de lattes de frêne et de crin végétal. Les couches extérieures sont souvent faites de bois dur comme le bam-

Couches laminées

Tamis

Tête

Gorge ou coeur

Grip

---

*Pour obtenir des renseignements sur les compétitions au Québec, on peut s'adresser à la Fédération de Lawn-Tennis du Québec, 1415 est, rue Jarry à Montréal.

bou. La gorge est faite de bois dur, tel l'érable ou le bouleau. Le cadre d'une bonne raquette comprend jusqu'à onze couches laminées qui donnent une force accrue à la raquette.

Les raquettes faites de métaux différents ne jouent pas de la même façon, particulièrement en ce qui a trait à la souplesse ou à la rigidité. Si vous songez à acheter une raquette de métal, essayez-la avant si possible. Le choix d'une raquette de bois ou de métal est cependant une question de préférence et n'a rien à voir avec l'habileté du joueur!

Poids Le poids d'une raquette relève de la préférence personnelle du joueur, mais il est préférable de choisir la raquette la plus lourde quoique confortable.

Poids léger: 336 g à 364 g (filles et femmes).

Poids moyen: 380 g à 422 g (garçons et la plupart des hommes)

Poids lourd: 394 g à 422 g (certains hommes)

Grosseur du manche (le grip) La grosseur du grip se mesure à la circonférence du manche. Elle est ordinairement inscrite sur la raquette par le manufacturier, comme la catégorie de poids à laquelle elle appartient. Vous devriez choisir le grip le plus gros et confortable en même temps. En guise d'indication générale, les manches sont habituellement numérotés de 1 à 7 ce qui correspond aux grosseurs qui vont de 30 x 34 à 36 x 44 mm.

Équilibre La plupart des raquettes sont justement équilibrées. Le point d'équilibre d'une raquette de 73 cm environ de long (la

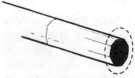

Circonférence du manche

Épaisseur standard de cordage

Calibre 15

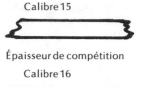

Épaisseur de compétition

Calibre 16

Jusqu'à $10. — Pour les débuts d'un enfant seulement; la raquette ne résistera pas à des coups violents. $15.-20. — Cadre relativement bon et cordage de nylon; pour les débutants, jeunes ou adultes. $25.-$30. — Bon cadre de bois et bon cordage de nylon ou de boyau peu coûteux; pour jeunes ou adultes intermédiaires. $30. et plus — Meilleurs bois et boyau; pour la compétition. (Les cadres de métal commencent à $30., sans cordage.)

longueur la plus commune), est à 36,5 cm environ du bout de la raquette. Certaines gens préfèrent une raquette plutôt légère de la tête parce que cela facilite l'exécution de leurs volées. Un joueur qui se tient souvent à la ligne de fond préfèrera sans doute une raquette un peu lourde de tête puisqu'elle aura tendance à donner de la puissance.

Le cordage Le nylon est relativement durable et peu coûteux ($5.-10.). Le boyau animal donne un meilleur toucher mais il coûte plus cher ($10.-20.) et peut être endommagé par l'humidité. Le boyau a habituellement une tension de 25 à 29,5 kg tandis que le nylon a 20,5 à 25 kg de tension.

Le calibre 15 est l'épaisseur standard de cordage, mais les joueurs de compétition préfèrent habituellement une corde plus étroite (calibre 16) qui s'use plus vite, mais avec laquelle on sent mieux la balle. Habituellement, les cordes peuvent être remplacées individuellement à peu de frais.

Coût Le prix des raquettes varie beaucoup. Un adulte débutant devrait payer de $12. à $20. pour une raquette de qualité moyenne équipée à l'avance d'un nylon moyen. Un adulte sérieux, intermédiaire ou avancé, ne devrait sans doute pas dépenser moins de $15. pour un cadre de raquette (sans cordage).

Entretien Les raquettes de métal coûtent plus cher mais durent plus longtemps habituellement et n'exigent presque aucun entretien. L'emploi de couches laminées a de beaucoup diminué la nécessité d'un entretien particulier des raquettes de bois mais elles devraient tout de même rester dans leurs presses si elles sont soumises à une humidité très dense, ou si elles se trouvent entreposées durant un laps de temps considérable.

Une couche de ruban gommé autour du bord de la tête de la raquette peut aider à préserver les cordes susceptibles de s'user lorsque la raquette touche le sol.

Les balles

Les balles de tennis sont faites de caoutchouc moulé en moitiés, cimentées ensemble et couvertes de feutre de laine. Certaine balles sont couvertes d'un feutre supplémentaire qui accroît leur durée, et portent l'inscription «heavy duty». Les meilleures balles sont gonflées à l'air comprimé ou au gaz, ce qui leur donne de l'élasticité. Certaines balles tirent maintenant une part de leur élasticité du caoutchouc utilisé.

Précision Une balle réglementaire a approximativement 6,5 cm de diamètre et pèse 56,7 grammes. En tombant de 2,70 mètres de haut, elle devrait rebondir à 1,49 mètre à peu près du sol.

Entretien Les boîtes de balles ne devraient être ouvertes qu'au moment de l'emploi, car elles sont scellées sous pression pour aider à conserver la pression à l'intérieur des balles. Lorsqu'on conserve des balles trop longtemps même dans des boîtes scellées, la pression diminue graduellement et les balles ont tendance à «s'éventer».

Le feutre d'une bonne balle s'use et rend la balle beaucoup plus légère après deux ou

Une presse empêche la raquette de se déformer.

trois sets violents. C'est pour cette raison qu'on change les balles à peu près toutes les neuf parties, en tournoi. Hors compétition cependant, on peut prolonger la durée de balles relativement bonnes en les soumettant à un cycle de laveuse et de sécheuse à linge.

Habillement La tenue de tennis traditionnelle est toute blanche, surtout parce que le blanc réfléchit mieux la lumière que les autres couleurs, ce qui fait qu'il est moins chaud à porter. Les hommes portent short et chemisette (toujours), souliers de tennis, chandail ou veste, chaussettes, chapeau et serre-poignet (absorbant la transpiration et employé par les grands joueurs pour empêcher la transpiration d'atteindre les yeux et les mains). Les femmes portent les mêmes vêtements, sauf que la majorité préfèrent blouse et short ou robe de tennis.

TYPES DE COURTS

Le type de court choisi dépend en grande partie du climat et des traditions de l'endroit. Il existe des courts d'intérieur et d'extérieur, de gazon, de surface molle (terre battue) ou dure. Un revêtement de toile ou de plastique saran, une haie ou une clôture de lattes de bois entourent souvent le court pour aider à couper le vent et améliorer la visibilité de la balle.

Courts en gazon

Le gazon constitue une surface de court traditionnellement populaire, héritage des premiers temps du tennis où les gens élevaient un filet et jouaient sur leurs propriétés.

C'est aujourd'hui le type de surface le moins employé au monde bien que les

Court et clôture.

championnats de Wimbledon, d'Australie, des États-Unis, et beaucoup des principaux tournois mondiaux soient toujours disputés sur gazon.

Avantages La plupart des joueurs aiment jouer sur gazon. Le jeu est plus agressif que sur terre battue, puisque la balle a tendance à déraper et à rebondir bas. La surface de gazon favorise le jeu de filet surtout à cause des risques constants de mauvais bonds.

Inconvénients Les courts de gazon nécessitent un entretien constant. Le gazon doit être coupé ras et égal et recevoir des arrosages fréquents, tandis que les lignes doivent être refaites souvent. Lorsque les courts sont humides, la balle devient lourde et mouillée. Les courts sont plutôt glissants et certains joueurs fixent des crampons à leurs souliers pour faciliter leurs déplacements. Lorsque le gazon est râpé, les bonds deviennent irréguliers et imprévisibles.

Schéma d'un court

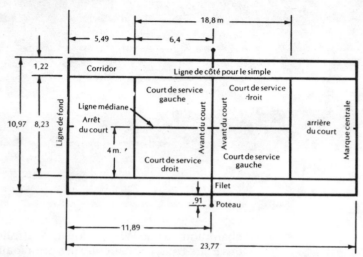

Courts mous
Dans les régions où le gazon ne pousse pas bien ou lorsqu'on ne peut pas se procurer facilement des matières synthétiques, l'usage d'argile ou terre battue est fréquent. La majorité des courts du monde sont classés mous, et sont faits de matériaux voisins de l'argile.

Avantages Les courts de terre battue sont agréables aux pieds. Le jeu y est légèrement moins rapide et on y met moins l'accent sur l'attaque. La balle rebondit plus haut et moins rapidement, ce qui fait que le joueur a plus de temps pour courir et préparer son coup.

Inconvénients Le court de terre battue est difficile à conserver en état idéal de jeu. Il doit être arrosé et roulé tous les jours, les lignes à la craie ont besoin d'être retracées régulièrement et les galons doivent être balayés ou replacés.

Courts durs

Les courts d'asphalte, de ciment, de bois et de matières synthétiques sont classifiés courts durs. C'est le type de surface le moins utilisé à l'échelle mondiale et les États-Unis sont le seul pays parmi les grands du tennis à posséder une majorité de courts durs.

Avantages La balle rebondit uniformément. Les courts requièrent un minimum d'entretien quoiqu'un court d'asphalte doive être refait tous les quatre ou cinq ans. Les courts sont souvent peints afin d'assurer une meilleure visibilité, le court ordinairement en vert et l'extérieur des limites en rouge.

Inconvénients Le premier désavantage des courts durs est qu'ils ne constituent pas la norme mondiale de courts. Certaines gens se dressent contre le type très agressif de jeu possible sur les courts durs en affirmant que la balle y rebondit trop vite.

Pourcentage de courts durs dans quelques-uns des principaux pays où l'on joue au tennis.

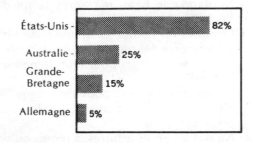

La moitié à peu près de la proportion qui reste sont des courts mous et l'autre, des courts en gazon.

ÉTIQUETTE

Conduite du spectateur

Que vous soyez spectateur d'occasion en train d'observer un match non officiel, ou mêlé à une grande foule assistant à un tournoi de championnat, vous devriez connaître certaines «lois morales». La concentration des joueurs leur est essentielle pour réaliser des performances; en troublant cette concentration, vous risquez de perturber l'issue du match tout entier. Le principe général consiste à se conduire comme on souhaiterait que les autres le fassent si nous nous trouvions nous-mêmes sur le court.

Il existe certaines règles précises à suivre, dont:

1- Rester assis dans les espaces réservés aux spectateurs. Ne jamais s'asseoir sur des bancs ou sièges à l'intérieur des limites clôturées, à moins d'exercer une fonction déterminée qui l'exige.

2- Se tenir tranquille. Il n'y a rien de plus gênant que les conversations inutiles.

3- Applaudir le beau jeu après la fin de l'échange.

4- Compter les points soi-même lorsqu'on s'y intéresse. Ne pas déranger continuellement les joueurs pour leur demander le compte.

5- Garder son opinion pour soi, lorsqu'on n'est pas d'accord avec les décisions prises sur le jeu.

6- Ne pas jouer les arbitres, à moins qu'on ne vous ait attribué ce rôle officiellement. (Si l'on vous demande de servir d'arbitre ou de juge de lignes, vous devriez accepter de bonne grâce.)

7- Marcher discrètement derrière les clôtures des courts où des matches se jouent, lorsque vous vous déplacez vers un autre court.

Conduite du joueur

L'esprit sportif est la clé de l'étiquette au tennis. Traitez les autres comme vous aimeriez qu'on vous traite.

Voici quelques règlements spécifiques qui permettront à vous-même comme à ceux qui vous entourent de jouer au tennis plus agréablement:

1- Faire connaissance avec votre adversaire. Avant de jouer, saluez votre adversaire et présentez-vous à lui.

2- Tirer au sort le service et le côté du court en faisant tourner votre raquette et ce, avant de pénétrer sur le court.

3- Vérifier la hauteur du filet au centre du court. Le filet doit avoir 97 centimètres de haut. Si vous avez une raquette de taille courante, posez-la à la verticale, le bout du manche au sol (73 centimètres) et placez la tête de la raquette de votre adversaire (24 centimètres) à l'horizontale sur la vôtre.

4- Après un bref réchauffement (5 minutes maximum), demander à l'adversaire s'il désire pratiquer quelques services. Les deux joueurs devraient effectuer leurs services de pratique avant que tout point soit compté. Ne jouez jamais à prendre le «premier service réussi».

5- Au début d'un échange, ne servir que si on a bien deux balles dans la main.

6- Attendre que l'adversaire soit prêt avant de servir.

Saluez votre adversaire

Vérifiez la hauteur du filet

7- Observer la règle de la faute de pied, sinon vous portez atteinte à l'étiquette du tennis.

8- Compter les points avec précision et quand vous êtes serveur, annoncer le pointage périodiquement.

9- Ne renvoyer que les balles bonnes, particulièrement en relance.

10- Annoncer les balles de son côté du filet (dites «extérieur» si la balle est hors des limites), et faire confiance à l'adversaire lorsqu'il fait de même. Annoncez les fautes et les lets fortement et distinctement. Si la balle est à l'intérieur ou si vous doutez, frappez-la comme si elle était bonne et ne dites rien.

11- Ne parler que si le jeu l'exige et uniquement lorsque l'échange est terminé. Cependant, sachez apprécier les bons coups de votre partenaire ou de votre adversaire.

12- Modérer vos réactions et vos humeurs.

13- Ramasser toutes les balles de son côté du filet après chaque échange, et les renvoyer directement au serveur. Ne vous penchez pas au dessus du filet pour récupérer une balle, car les câbles du filet se cassent facilement. Lorsque le match est terminé, ne laissez pas de balles ou de débris sur le court.

14- S'assurer que l'échange est terminé avant de récupérer des balles sur un court adjacent. Pour les réclamer, lancer poliment «S'il vous plaît», ou «Merci».

15- Attendre la fin de l'échange en cours avant de renvoyer les balles provenant d'un court voisin. Rendez-les en les lançant ou en les faisant rouler vers le joueur le plus proche.

16- Annoncer un «let», lorsqu'il y a interférence véritable durant un échange (par exemple une balle qui pénètre dans votre court).

17- Ne pas s'excuser. Le jeu terminé, serrez la main à votre adversaire et remerciez-le pour le match. Félicitez-le s'il a gagné.

18- Ne pas monopoliser le court lorsque d'autres personnes attendent. Jouez en double ou faites la rotation à la fin de chaque set.

19- Toujours s'habiller convenablement — être soigné, tout en blanc et porter une chemise.

Comportement en tournoi

1- Faire acte de présence à la table des officiels, 15 minutes au moins avant l'heure de jeu prévue. Si vous ne pouvez jouer, faites connaître à l'avance votre intention de ne pas participer.

2- Le gagnant rapporte toutes les balles à la table, donne le pointage final et vérifie l'heure de son prochain match.

3- Offrir son aide au comité d'organisation du tournoi (comme juge de lignes, pour la préparation des courts, le transport, etc.)

4- Remercier l'organisateur à la fin du tournoi. Remerciez les responsables de l'hébergement et des repas lorsqu'on vous les a fournis.

LES RÈGLEMENTS DU TENNIS

L'organisation dirigeant le tennis internationale est la Fédération internationale de Lawn Tennis (Barons Court, West Kensington, London, W. 14, England). La fédération établit les règles du tennis et l'Association américaine, membre de cette

Tournez votre raquette pour décider qui choisit le premier.

«M» ou «W»

organisation, souscrit à ces règlements de même que l'association canadienne. En voici quelques-uns:

Serveur et relanceur

Les joueurs se placent de part et d'autre du filet. Le joueur qui, le premier, lance la balle en l'air est nommé le serveur et son adversaire, le relanceur.

Choix du service et du côté

Le choix du côté et le droit d'être serveur ou relanceur à la première partie, se déterminent en tirant au sort. Habituellement, un des joueurs fait tourner sa raquette et l'autre choisit une des inscriptions d'un des côtés de la raquette. Le joueur qui gagne peut choisir ou donner le choix à son adversaire:

a) de servir ou de recevoir; l'autre joueur a alors le choix du côté, ou

b) du côté; dans ce cas, l'autre joueur choisit le service ou la relance.

Les joueurs changent de côté chaque fois que le total des parties jouées dans un set est impair, c'est-à-dire après la première partie et à toutes les deux parties ensuite. Les joueurs ont une minute au maximum pour changer de côtés.

Fautes

Il y a faute:

a) Si le serveur ne réussit pas à envoyer la balle du bon côté du court.

b) Si le serveur manque la balle en essayant de la frapper. (Cependant, elle peut être lancée plusieurs fois sans pénalité.)

c) Si la balle touche une des dépendances permanentes du court (autres que le filet) ou le partenaire du serveur, avant de toucher le sol.

d) S'il y a faute de pied.

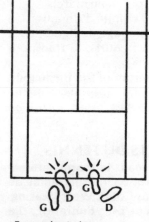

Fautes de pied

Il y a faute de pied:

a) si le serveur change de place soit en marchant soit en courant, avant de frapper la balle. (Un serveur peut sauter au moment de frapper et un de ses pieds, ou les deux, peuvent se trouver au-dessus de la ligne de fond, à condition qu'il ne touche pas le court ou la ligne, avant de frapper la balle.)

b) si le serveur touche la ligne de fond ou l'intérieur du court avant de frapper la balle.

c) si le serveur se place au-delà de la ligne de côté ou de la marque centrale pour servir.

Lets

Le let est une balle qui tombe bonne après avoir touché le filet, la bande ou la sangle. On annonce un let au moment de l'interruption du jeu ou lorsque le service est effectué avant que le relanceur ne soit prêt. (Si le relanceur essaie de renvoyer la balle, il est jugé prêt.)

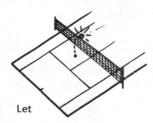

Let

Lorsque le service est à remettre (let), le serveur reprend son coup. S'il y a let autrement qu'au service, on termine le point avant de recommencer.

Le changement de service

À la fin d'une partie, le serveur devient relanceur et le relanceur serveur.

Perte du point

Un joueur perd le point:

a) s'il fait une double faute.

b) s'il ne réussit pas à renvoyer la balle avant qu'elle ne fasse deux bonds (la balle ne peut être frappée qu'une fois avant ou après son rebond), ou s'il ne la renvoie pas dans le court de l'adversaire.

c) s'il renvoie la balle et qu'elle frappe le sol, une dépendance permanente du court (clôture, siège de l'arbitre), ou tout autre objet en dehors des lignes limitant le court adverse.

d) s'il envoie une mauvaise balle prise de volée, même lorsqu'il se trouvait en dehors du court.

e) si en exécutant un coup, il touche la balle plus d'une fois avec sa raquette. (En double, la balle ne peut être renvoyée que par un des partenaires.)

f) si lui, sa raquette, ses vêtements, ou tout autre objet qu'il porte touche le filet ou le sol du court de l'adversaire.

g) s'il frappe la balle de volée avant qu'elle n'ait passé le filet.

h) si la balle en jeu le touche lui-même, ou touche une partie de ses vêtements ou tout autre objet qu'il porte, à part sa raquette.

i) s'il jette sa raquette vers la balle et la touche.

j) s'il commet volontairement un acte ou un geste qui puisse empêcher l'adversaire de frapper la balle.

Un retour est bon

a) si la balle tombe sur une ligne.

b) si la balle touche le filet, à condition qu'elle ait passé au-dessus et qu'elle tombe à l'intérieur du court.

c) si un joueur frappe par-dessus le filet une balle qui a été emportée par le vent ou qui a rebondi d'elle-même vers l'autre côté, pourvu que ni sa personne, ni sa raquette, ni ses vêtements, ne touchent le filet.

d) si la raquette d'un joueur passe par-dessus le filet après qu'il ait renvoyé la balle, à condition qu'il ne touche pas le filet.

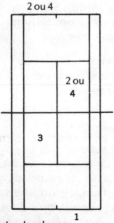

2 ou 4

2 ou 4

3

1

Ordre de relance

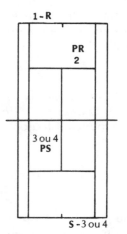

1 - R

PR
2

3 ou 4
PS

S - 3 ou 4

Ordre de service

e) si un joueur renvoie une balle après que celle-ci ait touché une autre balle restée sur le court. (Un joueur peut demander qu'on enlève une balle restée sur le court de son adversaire, mais non lorsqu'une balle est en jeu.)

f) si la balle est relancée extérieurement au poteau, soit au-dessus, soit au-dessous du niveau supérieur du filet, même si elle touche le poteau, mais à la condition qu'elle touche le court dans les limites réglementaires.

Ordre du service en double

L'ordre du service doit être décidé au début de chaque set. L'équipe qui a le service à la première partie de chaque set désigne le joueur qui servira le premier. Le partenaire sert la troisième partie. De même, l'équipe adverse décide qui servira la deuxième partie du set. Le partenaire sert alors la quatrième partie. Cet ordre devra être respecté tout au long du set, de sorte que chaque joueur servira toutes les quatre parties.

Si un joueur ne sert pas à son tour, il doit servir aussitôt l'erreur découverte. Toutefois, tous les points marqués entre temps sont acquis. Si une partie se termine sans qu'on ne corrige l'erreur, l'ordre du service reste interverti.

Ordre de relance en double

L'ordre de relance doit être déterminé au début de chaque set. L'équipe qui reçoit désigne celui des deux joueurs qui sera relanceur le premier, et celui-ci continue tout au long du set à renvoyer les services dirigés de son côté du court. (En d'autres mots, le premier relanceur doit recevoir le service à chaque jeu impair dans toutes les autres parties.) Son partenaire fait de

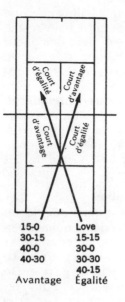

15-0	Love
30-15	15-15
40-0	30-0
40-30	30-30
	40-15
Avantage	Égalité

même pour les services dirigés de l'autre côté du court.

Si l'ordre de relance se trouve modifié, il reste ainsi jusqu'à la fin de la partie en cours. Les partenaires reprennent alors leurs positions originales.

POINTAGE

Le décompte des points dans une partie

Les points s'additionnent comme suit (le pointage du serveur s'annonçant toujours le premier):

0 — 0
1er point — 15
2e point — 30
3e point — 40
4e point — partie

Le tableau en marge illustre les combinaisons possibles de pointage. À égalité, chaque joueur a marqué trois points. L'un d'eux doit maintenant faire deux points consécutifs pour gagner la partie. Le point qui suit l'égalité est l'«avantage». Si le serveur se le mérite, le pointage devient «avantage pour». Si le relanceur fait le point, le compte s'appelle «avantage contre».

Le décompte des points dans un set

Selon les conventions, le joueur qui le premier gagne six parties, gagne le set à condition qu'il ait une avance de deux parties sur son adversaire. (Si le compte est 5 - 5, le jeu continue jusqu'à ce qu'un des joueurs ait deux parties d'avance — 7 - 5, 8 - 6, etc.) Un set moyen dure 30 minutes environ.

Décompte de bris d'égalité: En vue d'aider à éliminer les sets prolongés (20 - 18, etc.)

l'U.S.L.T.A. a autorisé récemment l'usage d'un système de bris d'égalité qui consiste à accumuler la majorité des 9 points joués consécutivement. Ce système peut s'employer dans n'importe quel set, lorsque le compte devient 6 - 6. (On peut aussi jouer 12 points d'élimination plutôt que 9.) Le nouveau système de bris rapide d'égalité fonctionne comme suit:

En simple, le joueur A qui devait normalement servir la prochaine partie sert deux points, le premier dans le court de coup droit, le second dans le court de revers. Le joueur B fait de même ensuite. Les joueurs changent de côté après ces quatre points et la séquence recommence. Si aucun des joueurs n'a accumulé 5 points, le joueur B sert le neuvième point. Le relanceur peut choisir le côté où la balle sera envoyée. Le set prend fin à 7 - 6. Les joueurs restent du même côté et le joueur B sert la première partie du set suivant.

En double (l'équipe A-B contre C-D), A et C servent les quatre premiers points, B et D les quatre suivants. Le joueur D sert le neuvième si nécessaire. Les joueurs servent depuis le côté où ils se trouvaient au moment de l'égalité.

V.A.S.S.S. Le système V.A.S.S.S. n'est pas un système de décompte officiellement accepté en matches de championnat, mais il se trouve largement employé autrement. C'est un système qui tient du ping-pong: un set est constitué de 31 points et le service change de camp à tous les 5 points. L'avantage du système est qu'il empêche les matches de s'éterniser.

Décompte des points d'un match

Un match prend fin lorsqu'un joueur ou une équipe gagne deux sets sur trois; cependant, dans les tournois masculins importants il faut gagner 3 sets sur 5 pour remporter la victoire. Une pause de 10 minutes est accordée entre le troisième et le quatrième set et sur demande entre le deuxième et le troisième set, chez les jeunes de 16 ans et moins.

Le serveur a fait:	Le relanceur a fait:	Le compte est:
1 point(s)	0 point(s)	15-0
2	0	30-0
3	0	40-0
4	0	Partie
3	1	40-15
3	2	40-30
1	1	15-A
2	2	30-A
3	3	Égalité
4	3	Avantage pour
3	4	Avantage contre
5	3	Partie (au serveur)

Glossaire des termes du tennis

A.: Abréviation de All. Se dit lorsque le compte est égal 30-A, 3-A, etc.

Ace: Une balle si bien servie que l'adversaire ne parvient pas à y toucher.

Amortie: Coup frappé doucement et qui traverse tout juste le filet.

Arbitre: Officiel des matches importants.

Avantage: Premier point après l'égalité. Si le côté du service compte, c'est «avantage pour» et si le côté opposé marque le point, c'est «avantage contre».

Balle brossée: Balle à laquelle on imprime une rotation du dessus vers le dessous produite en frappant vers le haut «à travers» la balle. Celle-ci rebondit alors rapidement et loin. C'est la rotation employée dans la plupart des coups de base.

Balle coupée: Balle à laquelle on donne une rotation du dessous vers le dessus en frappant vers le bas et «à travers» la balle. Voir aussi Slice et Chop.

Balle coupée vers l'intérieur: Coup où la balle fait une rotation de côté et rebondit de côté. Le service coupé de côté est l'un des types de service les plus communs.

Balle flottante: Balle se déplaçant lentement au-dessus du filet et dont la trajectoire est haute (habituellement une balle coupée).

Bande: Lisière de tissu fixée au haut du filet.

Boulet de canon: Service fort et plat.

Braconnage: En double, stratégie où le joueur au filet se déplace du côté de son partenaire le serveur, pour frapper une volée. C'est ce qu'on appelle chiper la balle.

Bris d'égalité: Système officiel d'élimination rapide employé lorsque le compte est 6 parties contre 6, consistant à accumuler la majorité des 9 ou 12 points consécutifs joués.

Bris de service: Se dit lorsque le serveur perd la partie servie.

Bye: En compétition, ronde qu'un joueur n'est pas obligé de jouer.

Cadence: Désigne habituellement la vitesse de rotation de la balle qui la fait bondir rapidement.

Cadre: Partie de la raquette où sont fixées les cordes.

Chasseur de balles: Celui qui ramasse les balles en compétition.

Chip: Slice modifié principalement employé pour relancer la balle en double. Le chip nécessite un swing court ce qui oblige le relanceur à avancer beaucoup pour renvoyer la balle.

Chop: Balle coupée en abaissant la raquette «à travers» la balle à un angle supérieur à 45 degrés.

Corridor: Espace de chaque côté du court de simple destiné à élargir le court pour le double. Chaque corridor a 1,46 mètre de large.

Coup croisé: Balle qui passe d'un coin du court à l'autre, traversant le filet en diagonale.

Coup d'approche: Coup après lequel un joueur monte au filet.

Coup de base: Coup frappé après le rebondissement de la balle, soit en coup droit ou en revers.

Coups de base
Drive
Slice et chop
Lob
Amortie

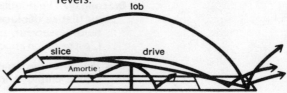

Coup droit: Coup qu'emploie un droitier pour renvoyer les balles dirigées à sa droite.

Coup en angle: Balle produisant un angle très prononcé.

Coup plat: Balle qui se déplace en droite ligne avec peu de courbe ou de rotation.

Court de coup droit: Pour un droitier, le côté droit du court.

Court de revers: Le côté gauche du court (pour un droitier).

Court lent: Court dont la surface inégale a tendance à faire rebondir la balle haut et lentement.

Court rapide: Court dont la surface est rapide ce qui permet à la balle de rebondir rapidement et bas.

Défaut: Gagner par, cas où un joueur ne termine pas un match d'un tournoi; l'adversaire remporte alors la victoire et le joueur perd sa position.

Demi-volée: Frappe de la balle immédiatement après son rebond.

Dépasser un joueur: Se dit d'une balle qui passe au-dessus de la tête d'un joueur au filet.

Double: Match à quatre joueurs, deux dans chaque équipe.

Double faute: Manquement des deux essais au service. Il y a alors perte du point.

Drive: Balle offensive frappée avec force.

Drive d'attaque: Violent coup d'approche.

Échange: Le jeu, service exclus.

Égalité: Compte de 40-40. Il y a égalité et chacun des joueurs a accumulé au moins trois points.

Élan arrière: Backswing. Partie initiale de tout swing. Envoi de la raquette vers l'arrière pour préparer l'élan avant.

Épicondylite: Tennis elbow. Douleur à l'articulation du coude, fréquente chez les joueurs de tennis et due surtout à une hyperextension du bras.

Erreur: Point gagné à cause d'une erreur évidente plutôt qu'à cause de l'habileté du joueur.

Extérieur: Out. Balle hors des limites du court.

Faute: Mauvais coup, la plupart du temps au service.

Faute de pied: Faute commise par le serveur lorsqu'il met le pied sur, ou devant la ligne de fond avant de frapper la balle.

Fermée: Position du tamis lorsque son côté qui frappe est dirigé vers le sol.

Formation australienne: Stratégie de double où le serveur et son partenaire se placent du même côté du court au début de l'échange.

Gorge: Coeur. Partie de la raquette située entre le manche et la tête.

Grip: Cuir qui recouvre le manche de la raquette et par extension le manche lui-même.

Jouer des points: Jouer une suite d'échange plutôt que d'employer le décompte officiel.

Juge de lignes: Personne qui en compétition, annonce les balles tombant à l'extérieur du court.

Let: Échange repris à cause d'une interférence quelconque ou service bon mais ayant touché le haut du filet.

Ligne de fond: Ligne arrière d'un court située à 12,6 mètres du filet.

Ligne de service: Ligne qui limite le court de service; elle est parallèle à la ligne de fond et se trouve à 6,8 mètres du filet.

Ligne médiane: Ligne perpendiculaire au filet qui sépare les deux courts de service.

Lob: Balle assez haute (au moins 2,6 mètres au-dessus du filet), destinée à dépasser un joueur au filet.

Manche: Partie où l'on tient la raquette.

Marque centrale: Ligne courte qui sépare la ligne de fond en deux.

Match: Jeu en simple ou en double consistant à gagner deux sets sur trois chez les femmes et dans la majorité des matches chez les hommes, et trois sets sur cinq dans la plupart des matches masuclins de compétition.

Mi-court: Partie centrale du court, en général à mi-chemin entre le filet et la ligne de fond.

Nerf: Cordage de la raquette fait de boyau animal.

Ouvert: Position du tamis lorsque son côté qui frappe est orienté vers le haut, à l'opposé de la surface du court.

Ouverture: Erreur défensive qui donne à l'adversaire l'occasion de compter un point.

Partie: Jeu. Chacune des divisions d'un set se terminant lorsqu'un joueur ou une équipe a accumulé quatre points ou fait deux points consécutifs après l'égalité.

Passing shot: Coup de débordement. Balle hors d'atteinte d'un joueur au filet.

Placement: Coup si adroitement placé que l'adversaire ne peut l'atteindre.

Point de match: Point qui, gagné, assure le match à un joueur.

Point mérité: Point réussi par habileté plutôt qu'à cause d'une erreur de l'adversaire.

Presse: Cadre de bois qui maintient fermement une raquette de bois pour l'empêcher de se déformer.

Prise: Façon dont on tient le manche de la raquette.

Quarante: Pointage d'un joueur lorsqu'il a accumulé trois points.

Quinze: Premier point fait par un joueur.

Relance: Premier renvoi de la balle; celui qui l'effectue est le relanceur.

Récupérer: Bien renvoyer une balle difficile ou ramasser une balle tout simplement.

Revers: Coup qu'emploie un droitier pour renvoyer une balle dirigée du côté gauche de son corps.

Sangle: Courroie au centre du filet enfoncée dans le sol pour tenir le filet en place.

Semer: Organiser les matches de tournoi de façon à ce que les meilleurs joueurs ne jouent les uns contre les autres qu'aux rondes finales.

Service: Mise en jeu, manière dont on débute un échange.

Service
Plat
Brossé
Coupé
Américain

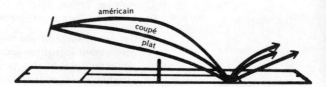

Service américain: Service brossé où la balle rebondit haut et dans la direction opposée à son mouvement original. On l'appelle aussi service lifté.

Set: Manche. Partie d'un match qui prend fin lorsqu'un joueur ou une équipe a gagné au moins six parties et au moins deux de plus que l'adversaire, ou lorsqu'un des côtés a gagné le «bris d'égalité».

Sets consécutifs: Gain d'un match sans la perte d'aucun set.

Simple: Match entre deux joueurs.

Slice: Balle coupée que la raquette frappe en décrivant (vers le bas et «à travers» la balle) un angle inférieur à 45 degrés. Voir aussi Chip.

Smash: Coup violent au-dessus de la tête.

Tamis: Surface de la raquette où l'on frappe la balle.

Tenir: Garder son service. Se dit lorsque le serveur gagne la partie servie.

Tennis pourcentage: Jeu prudent qui met l'accent sur la réduction des erreurs inutiles et lors de points importants.

Tête: La partie de la raquette qui comprend le cadre et le cordage.

Tirage: Procédé employé pour décider qui jouera contre qui, en tournoi.

Tournoi à la ronde: Round Robin. Tournoi où chaque joueur joue contre chacun des autres participants.

Tournoi-consolation: Tournoi où les perdants de la première ronde continuent à jouer contre les autres perdants.

Tournoi-élimination: Tournoi où un joueur est éliminé dès qu'il est battu.

Tournoi-élimination double: Tournoi dans lequel un joueur doit perdre deux fois avant d'être éliminé.

Trente: Pointage d'un joueur qui a accumulé deux points.

Tuer: Smasher la balle violemment.

VASSS: Système non officiel de décompte des points qui tient du ping-pong (à 31 points), et destiné à empêcher les sets de se prolonger trop longtemps.

Jeu de filet
 Drive de volée
 Demi-volée (et volée basse)
 Volée amortie
 Smash.

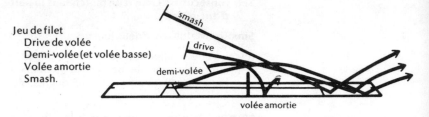

volée amortie

Volée: Frappe avant le rebond de la balle.

Volée amortie: Amortie effectuée en position de volée.

Zone interdite: Milieu du court où beaucoup de balles atterrissent aux pieds du joueur et où il est habituellement vulnérable.

À PROPOS DE L'AUTEUR

Dick Gould est entraîneur de l'équipe de championnat N.C.A.A. de l'Université Stanford. Il a enseigné le tennis à des débutants autant qu'à des instructeurs (dans des camps, dans le cadre de programmes de loisirs, dans des écoles publiques et des universités). Il a participé à des matches professionnels d'exhibition aux côtés de Pancho Gonzalez, Pancho Segura et Rod Laver.

Sommaire

ACHEVÉ D'IMPRIMER
EN AVRIL 1977
SUR LES PRESSES DE
PAYETTE & SIMMS INC.
À SAINT-LAMBERT, P.Q.